codice

61 04 04

9 Kpa Te 1 dy OzL

La memoria

282

Lorenza Mazzetti

Il cielo cade

Sellerio editore
Palermo

1993 © *Sellerio editore via Siracusa 50 Palermo*
e-mail: info@sellerio.it
www.sellerio.it

2013 *Quindicesima edizione*

Questo volume è stato stampato su carta Palatina prodotta dalle Cartiere di Fabriano con materie prime provenienti da gestione forestale sostenibile.

Il cielo cade / Lorenza Mazzetti. - 15. ed. - Palermo : Sellerio, 2013.
166 p. ; 17 cm. - (La memoria; 282)
I. MAZZETTI, Lorenza
CDD 853.914
(a cura di S. & T. - Torino)

Il cielo cade

1

Pensierino: « Raccontate che cosa avete fatto oggi ».

Svolgimento: « Oggi a scuola il Duce ha parlato e ci ha detto di fare la ginnastica per diventare forti, educati e pronti ad una sua chiamata per difendere la nostra grande Italia, perché c'è la guerra.

« Io mi domando se posso amare mia sorella Baby più del Duce. Ma io però amo Baby come Gesù. Proprio come Gesù, e amo Gesù un po' più di Dio, e Dio come Mussolini, e l'Italia e la Patria meno di Dio, ma più del mio orso giallo ».

Dopo aver consegnato il mio quaderno dei « pensierini » mi son messa a guardare la fotografia del Duce che era sulla copertina del mio quaderno con la tavola pitagorica. Dietro c'era invece la fotografia del re, sua maestà Vittorio Emanuele terzo, re d'Italia. Io fisso intensamente il Duce. Lo fisso intensamente negli occhi per accertarmi di avere ragione. Sì, il Duce è buono.

Egli appare in varie maniere, di faccia, di profilo, ora con l'elmo in testa, ora con una corona di alloro come un antico romano. Sul quaderno il Duce appare a torso nudo insieme a dei contadini che mietono il grano. Su un altro quaderno c'è il Duce attorniato da tanti bambini vestiti da Figli della Lupa e da Piccole Italiane come me. Il suo sguardo è buono e intenso come lo sguardo di Gesù in mezzo ai fanciulli che c'è sul libro di religione.

Il Duce sta anche sulla testa della signora maestra e sotto c'è il crocefisso. Poi c'è il Duce e il Führer, tutt'e due di profilo che si sorridono. Il Führer è il capo della Germania e l'amico del Duce. Anche io vorrei essere l'amica del Duce.

La mia vicina di banco odora di formaggio. La mia sorellina Baby è in un'altra classe. Lei non puzza di formaggio né di pecore. Anche io, che mi chiamano Penny, non puzzo di formaggio, ma quando gioco con Pasquetta, Pierino, Zeffirino e Lea, puzzo anche io di stalla. Pasquetta, la mia vicina di banco, spesso quando mangia i panini della mamma, odora pure di salame, ma ha un odore, quello permanente, che è proprio quello suo naturale. Tutti i bambini odorano di fieno e di pecore.

La maestra disse che per l'indomani avremmo dovuto scrivere un « pensierino » sui nostri sogni della notte. « Descrivete cosa avete sognato stanotte ».

– Tu che hai sognato, Penny? – mi domandò Lea.

– Lasciami in pace, oca.

Lea si mise a sghignazzare perché aveva letto sul mio quaderno qualche cosa che la faceva ridere. Non so proprio che cosa.

Il mio nome straniero in mezzo a tanti nomi come

Pierino, Pierino primo, Pierino secondo, risuona strano. Col grembiule bianco stirato, le scarpe lucide, le gambe il collo le orecchie pulite, in mezzo a tanti bambini che odorano di stalla, io mi vergogno.

Lea si alzò in piedi.

— Signora maestra! Penny ha sognato la Madonna pelata!

— La Madonna pelata? Ma che cosa dici!... Sta' zitta e siediti.

Lea smise di ridere.

— La Madonna non è pelata! — disse la maestra. Si fece portare il mio quaderno e fece un fregaccio rosso. Anche il suo viso era rosso.

Scoppiai in singhiozzi. La signora maestra mi spaventa perché è così rossa e accaldata, e mi guarda seria.

— Ma io l'ho sognato!

— Sta' zitta!

— È vero! È vero! L'ho sognato!

Mi dette due schiaffi fortissimi e mi mandò all'angolo con la faccia contro il muro. Poi riferì la cosa al prete.

— Nella casa di questa bambina c'è il Diavolo — disse il prete, — bisogna aiutarla, dobbiamo adoperarci affinché anche lei e i suoi parenti non vadano all'inferno. Penny potrà salvarsi, ma lo zio? È condannato al martirio eterno.

— Tu Penny, credi in Dio?

— Io sì!

— Ma i tuoi parenti... e tuo zio... — si chinò su

di me, – lui non ci crede, non vi manda mai a messa. Chi non crede in Dio è nelle mani di Satana.

Mi pare, ripensando allo zio, che ogni tanto quando mi sgrida, ci sia il Diavolo dentro di lui.

– Bisogna salvarli, bisogna salvare queste due creature e i loro parenti.

Il prete disse che l'anima dello zio era in pericolo perché era ebreo, e cioè non credeva in Gesù, e che gli ebrei avevano ammazzato Gesù. Per salvarla era necessario fare dei « fioretti ». Ogni piccola rinunzia, anche se piccola, aveva un valore. Con molte rinunzie e sacrifici era possibile conquistare un posto almeno in purgatorio per lo zio, il quale era condannato al fuoco eterno. Poi il prete si soffermò sui vari dolori che le persone che vanno all'inferno sopportano. Tanto che io mi domando come fanno i dannati a non morire sotto quelle pene.

– È vero che camminano con i piedi tagliati sui fagioli? – domandò Zeffirino.

Dall'inferno il prete passò a parlare dei vari modi di tortura che esistono.

La campanella dell'uscita suonò e noi si cantò *Giovinezza*. E poi *Il Piave*. La maestra non vuole che noi si canti urlando e che si finiscano gli inni con « bum bum ». Ma noi si urlò: – Il Piave mormorò: Non passa lo straniero! Bum bum!

Io mi domando come mai la testa del Duce è così bella lucida e senza capelli, ma preferisco non domandarlo alla maestra, a causa della Madonna pelata che ho sognato e che a pensarci bene assomiglia al Duce.

Il Duce ha infatti un'aureola intorno alla testa, come un santo.

La canzone che più mi piace è la canzone delle Piccole Italiane:

Noi siamo l'alba d'or
vispe cresciamo all'aria e al sol
siamo d'Italia bimbe
desianti Italia far più grande ancor.

I nostri picciol cuor
picciol ma ardenti d'amor
come gli augelletti gorgheggianti
Iddio pregan: salva il Duce ognor.

2

All'uscita dalla scuola io e Baby stavamo lì conse-
gnate al bidello ad attendere la macchina che doveva portarci su alla Villa. Per la mancanza di macchine in giro e per la presenza dello chauffeur, tutti ci
guardavano. Lo chauffeur ci faceva salire sulla De
Soto, poi chiudeva gli sportelli e metteva in moto il
motore. Tutti i bambini e le bambine non potevano
fare a meno di sventolare le mani quando la macchina partiva. Stavano a guardarla fino a che spariva
nella strada di campagna, su per una salita ripida
verso la cima del monte. La gente che passava si
scansava e si toglieva il cappello al passaggio, con
riverenza.

Io e Baby abitiamo alla Villa da non molto tempo. Ci ha portate su lo chauffeur nella grande De
Soto che è una macchina tutta di velluto, dentro.
Lo chauffeur dello zio Wilhelm ha i bottoni d'oro
e il cappello e le basette e si chiama Cosimo e fa
anche il cameriere alla Villa.

A me e Baby Cosimo mette soggezione quasi quanto lo zio. Io e Baby non avevamo mai visto lo zio;
ce ne parlava papà, ma ora papà non c'è più, la mam-

ma neppure. Sono in cielo. Di lassù guardano giù per vedere se io e Baby siamo buone ubbidienti e rispettose come loro vogliono. Stanno lassù proprio per vedere se noi due siamo buone.

Lo chauffeur dice che io e Baby siamo due povere orfanelle e ci compatisce non so bene perché. A me piace però che la gente dica « poverina » e mi carezzi la testa.

Certo da quando mammina e papà sono andati su nel cielo nessuno ci abbraccia più la sera prima di andare a dormire, e la mattina quando ci svegliamo; questo fino a che loro non tornano giù dal cielo. Non so bene quando, però.

La tenuta dello zio è molto grande e lo zio Wilhelm a cavallo la percorre tutta solo in un anno. Ogni giorno lui va a cavallo a trovare un contadino e gli domanda: – Come sta? Come sta la lupinella? – e loro si tolgono il cappello e dicono: – Riverisco!

Io e Baby quando siamo arrivate per la prima volta quassù abbiamo fatto l'inchino alla zia Katchen, la sorella di papà che ci ha abbracciate, e anche Marie. Annie invece è gelosa del nostro arrivo, così dice Elsa la cuoca, e non vuole che la zia e lo zio ci vogliano più bene che a lei.

Per questo, appena siamo andate in giardino per giocare con il cavallo a dondolo e gli altri giocattoli, Annie ha detto di no, che i giocattoli erano suoi.

Allora io e Baby le abbiamo tirato le trecce, questo perché lei ci dava i calci e le botte.

Annie si è messa a urlare così forte che lo zio è

venuto e ha detto: — Brutta cattiva, tu, Penny, perché tiri le trecce a Annie? — Annie continuava a piangere e lo zio ci ha punite perché dice che non sta bene essere in due a picchiare Annie che, poverina, è sola contro noi due, e ci ha parlato della « Giustizia ».

Io ho pianto molto e poi sono andata da Elsa tra le sue ginocchia a farmi consolare, e anche Baby. Elsa odora di cipolla e la sua catenina con la croce pende tra i suoi due seni quando si china ad abbracciarmi, e mi pare che tra i due seni ci sia un tunnel dove io vorrei stare al caldo mentre lei canta: « Ave Maria... » e la sua voce sale al cielo.

Elsa ci lava, ci pettina, ci mette i grembiulini bianchi e i grandi fiocchi celesti inamidati, e odoriamo di bucato. Quanto mi dà noia Elsa quando mi vuole a tutti i costi lavare il collo il naso e le orecchie. Baby urla. Alla mia età posso lavarmi da sola. Ma lei insiste nel dire che il mio collo è sporco. Allora io dico: — Dove è sporco, Elsa? Dove?

E poi saliamo nella grande macchina e lo chauffeur ci porta giù per la strada ripida, alla scuola del villaggio che si chiama Rosa Maltoni, come la mamma del Duce.

La maestra ci ha accolte molto bene, poi ha detto che tutti i bambini ci dovevano voler bene perché io e Baby non avevamo la mamma né il papà.

3

Lo zio giocava a scacchi con zia Katchen. Zia Katchen è protestante e anche Marie e Annie credono in Dio e in Gesù e sono protestanti. Però non vanno a messa perché lo zio non vuole, perché lui non è cristiano, è ebreo, cioè non crede in Gesù.

Quando giocano a scacchi stanno per delle ore l'uno davanti all'altra serissimi. Ho sempre il terrore dello zio, appunto perché è così serio e spesso mi fa paura quando è arrabbiato con me. È capace di non parlarmi più per dei giorni interi. La mia grande gioia è quando lo zio si degna di giocare a scacchi con me.

Elsa ci lavava le mani e ci diceva:

– Ma che cosa fate voi con l'inchiostro? Ve lo bevete?

A tavola lo zio parlò a lungo di affari, credo, perché parlavano tutti in tedesco, i grandi. C'erano la cugina dello zio Maya e suo marito Pit ospiti a tavola oltreché Edith la sorella dello zio e Arthur suo marito con il loro cane pechinese. La zia Katchen ci faceva lezione di inglese e francese e per questo noi la chiamavamo semplicemente Aunty. Quando si rivolge-

va a noi parlava in francese o in inglese, e questo era
noioso perché bisognava risponderle nella stessa lingua mentre io avevo una voglia matta di andarmi a sedere sulla sedia a dondolo. Ma Annie ci arrivava sempre prima di me. A tavola ci dimenavamo tutte e tre
sulle sedie fino a che lo zio diceva che potevamo andare. Allora ci alzavamo di botto precipitandoci sulla sedia a dondolo. Per fare questo, spesso qualche
piatto cadeva a terra.

Marie mi domandò come mai avevo gli occhi rossi. Glielo dissi che avevo gli occhi rossi perché avevo sognato la Madonna pelata. Ci rimasi male quando vidi lo zio e tutti gli altri, e pure Aunty, scoppiare a ridere. Tutti ridevano e guardavano me e
dicevano: – La Madonna pelata! – e scoppiavano a
ridere di nuovo. Aunty ripeteva la frase in francese
e in tedesco e le hanno dovuto battere le mani sulla
schiena perché non si poteva fermare dal ridere e
quasi si strozzava.

Io mi convinco sempre di più che il Diavolo è nella Villa. Bisognava salvare tutti. Marie e Annie e gli
altri.

Marie studiava il violino e anche Annie.

Io a Marie voglio bene, ma Annie mi è antipati-
ca perché ci fa sempre i dispetti a me e a Baby; però
non desidero che vada all'inferno. Annie, a seconda
di come va, gioca con me e Baby o si mette i tacchi alti di Marie e sostiene di appartenere al mondo
dei grandi. Però continua a essere attaccata ai suoi

giocattoli e a non farceli toccare. Annie ha anche una forza straordinaria e io e Baby non possiamo fare nulla contro di lei quando viene e ci ruba i pinoli.

Marie invece è buona. I suoi compagni di scuola vengono spesso a trovarla e giocano a tennis con lei. Tra i suoi compagni quello che mi piace di più è Leonardo. Anche perché lui ogni tanto gioca con me a ping-pong. Io raccolgo spesso i fiori per Marie che s'incarica di metterli in salotto e nelle stanze degli ospiti. Marie è buona, io non voglio che vada all'inferno. Ma lei non lo sa e mi serba rancore perché le ho rotto il lume di porcellana che stava sulla sua scrivania.

– Vai via brutta cattiva! – mi ha gridato chinandosi a terra a raccogliere i pezzi.

– Ma io non l'ho fatto apposta.

– Tu e Baby rompete sempre tutto!

– Non dire così –. E mi misi a raccattare i pezzi di porcellana. Erano delle damine del settecento che ballavano un minuetto intorno alla lampada.

– Cattiva – diceva Marie.

– Tutti mi sgridano in questa casa! Nessuno lo sa il bene che ti voglio... – dissi avviandomi alla porta. – Se fossi un uomo ti sposerei...

Solo Gesù e la Madonna sanno che io non sono cattiva di cuore. Ma se Dio sa tutto, forse lui sa chi c'era prima di Dio?

E poi c'è il signor Pit che insegna ad Annie e Marie a suonare il violino. Marie è più brava e suona già Corelli, mentre Annie stona sempre, e finalmente è riuscita a imparare per Natale *Oh Tannen-baum* e *Stille Nacht*.

Quella sera il signor Pit ha chiesto di ballare a zia Katchen.

Il signor Pit sollevandola di peso si è messo a ballare con lei facendola piroettare a destra e a sinistra come una bambola mentre Maya sua moglie suonava il piano. Maya di nascosto ci dà le caramelle del signor Pit e poi ci dà un bacino.

Il signor Pit pur essendo ricco veste sempre malissimo, e invece della cinta per tenere i calzoni, porta uno spago. Spesso non si abbottona neppure i pantaloni. Katchen dice che non si lava mai, ma secondo lo zio è un originale che suona benissimo il piano. Il signor Pit ha la passione per il nostro gatto d'Angora che si chiama Giovanni e fa lunghe passeggiate con lui. Gli parla a lungo. Noi lo spiamo e stiamo a sentire i discorsi che fa. Lui non ci vede bene perché è miope e noi, nascoste nei cespugli, facciamo:

– Miaooo! Miaooo! – e facciamo finta di essere il gatto.

Il signor Pit oltre a suonare il piano e a fischiare quando suona, come se fosse un violino, è anche un rocciatore. Va sempre a fare le passeggiate di buona mattina ed è sempre vestito come se andasse in alta montagna. In camera sua abbiamo scoperto tante caramelle. Brutto antipatico! Ce ne desse mai una! Io, per vendetta, gli faccio i dispetti. Per esempio me le metto tutte in bocca e poi le rimetto sul suo comodino. Anche lui gioca a scacchi con lo zio, e quando perde si chiude in camera sua e non scende più per colazione né per cena. Lo zio gli manda la cena in camera, ma lui si rifiuta di aprire e mangia le caramelle.

Una sera, mentre stavamo tutti in salotto sentendo un concerto, il signor Pit si precipitò giù per lo scalone ed entrò in salotto con la faccia rossa e gli occhi fuori di sé per la rabbia.

– Genug! Genug! – gridava tra la meraviglia di tutti. E si scaraventò sulla radio chiudendola e colpendola con i pugni.

Ma signor Pit!

– Fare schifo! – e si mise al pianoforte a suonare quel pezzo che stavano trasmettendo. Tutti tacevano. Il signor Pit è l'amico dello zio, a lui tutto è permesso, anche di venire a tavola con le mani sporche. Io ne sono gelosa.

Il signor Pit suonava, suonava. Le sue mani andavano su e giù per la tastiera. Tutti lo ascoltavano.

Il signor Pit si fermò un istante e scaraventò per terra il colletto inamidato e la cravatta. Poi riprese a suonare. La casa era piena di note. Il signor Pit batteva sul piano le sue dita veloci come se si volesse sfogare su di lui. Si fermò un istante e gettò la giacca per terra e riprese a suonare furiosamente mordendosi le labbra e facendo orribili smorfie. Tutti ascoltavano estasiati. Io invece attendevo che si togliesse i polsini e il gilè. Un momento dopo i polsini volavano sopra le nostre teste e andarono a colpire il signor Arthur che si portò le mani alla testa.

Dopo altri colpi forsennati contro la tastiera il signor Pit finì il concerto e si alzò.

– Wunderbar! – disse lo zio. Gli altri applaudivano mentre io e Baby raccoglievamo i vestiti del signor Pit sparsi qua e là per darglieli.

4

La nostra cuoca Elsa e Cosimo e Rosa la cameriera vanno sempre a messa la domenica. Alla Villa c'è la cappella padronale, e il prete viene a dire la messa. Tutti i contadini vengono, ma lo zio non ci va e neppure ci manda noi.

Rosa fa l'amore con Nello, il contadino, e la mamma di Pierino dice che Nello le ha fatto un bambino a furia di baciarla. Rosa profuma la domenica, e odora di cipolla gli altri giorni. La domenica sta davanti allo specchio per prepararsi ad uscire, e io e Baby la guardiamo. Lei dice:

— Gesù mio, come sono grassa!

Lo zio non vuole che noi si stia sempre con Rosa o con i bambini dei contadini perché dice che poi parliamo male l'italiano. Ma io e Baby ci stiamo lo stesso, di nascosto. Rosa ha un vestito rosa schiattante e poi quando è tutta bianca di cipria che non si riconosce più, se ne va. Poi torna di corsa davanti allo specchio per vedere se tutto è a posto. Dopo mezz'ora che si guarda le viene lo sguardo da scema.

— Rosa, perché ti guardi?

Lei mi dice di chetarmi, ma dà sempre retta ai

miei consigli. Allora io prendo il pettine e la pettino, e anche Baby, e le facciamo i riccioli per farla bella.

– Maria santa, è troppo stretto il vestito? – mi domanda, – e questa rosa ce la metto qui sul petto, Penny?

– Più in alto –. Rosa se l'appunta più in alto.

– Più in basso –. Rosa se l'appunta più in basso. Facendo così si guarda la pancia.

– Gli uomini porci.

– Cosa?

– Tutti porci, compreso Mussolini –. Se ne va sbattendo la porta.

Io le voglio bene a Rosa, ma non tollero che si parli così del Duce. Io lo so, è Nello che le mette queste idee in testa. Io l'ammazzo Rosa se la risento parlare male di Benito Mussolini.

Io e Baby viviamo sempre sugli alberi con i figli dei contadini: Lea, Pasquetta, Zeffirino, Pierino. Dietro la Villa c'è un bosco fitto di lauri vecchi. Noi stiamo il più del tempo lì sui rami facendo la gettata.

« La gettata » significa gettarsi da un ramo all'altro e poi fare la capucertola: che significa issarsi su con una capriola ad un terzo ramo da cui si penzola con la testa in giù tenendosi coi piedi e con le ginocchia.

Una volta Baby cascò e si fece male alla schiena. Che paura! Piangeva.

– Ti fa male, Baby? Ti regalo tutte le mie pigne se non piangi più.

Pasquetta portò dell'acqua fresca e le facemmo degli impacchi di rena bagnata e foglie.

Tutti i giorni viene Leonardo. Vive su un monte vicino. Quando viene arriva a cavallo. Gli domandai se lui sapeva salire sugli alberi, ma disse di no. Allora lo portai ai lauri e dissi che gli avrei fatto vedere « la gettata ». Mi sbizzarrii davanti a lui facendo le capucertole e tenendomi con i piedi ai rami, e la testa in giù. Gli feci anche « l'angelo » allargando le braccia a mo' di ali e dondolandomi a testa in giù. Leonardo ci provò pure lui.

– Cosa fai lassù? – domandò Marie che lo cercava. – Vieni a prendere il tè.

Leonardo se ne andò alla Villà e io rimasi sull'albero a pensare a quanto lo amavo.

A volte io non mi faccio vedere quando viene, perché sono stata cattiva e per punizione devo portare una fascia di carta in testa con scritto: « méchante » o « paresseuse » o « menteuse ». Se non studio il francese o l'inglese Aunty mi fa mettere « le chapeau d'âne » e io mi vergogno e resto sul nespolo.

5

Allora c'è lo zio Wilhelm, la zia Katchen e poi Marie, Annie da salvare, senza contare gli ospiti e il loro cane pechinese. E poi io stessa e Baby da salvare.

Baby non sapeva ancora che nella nostra casa c'era il Diavolo. Bisognava dirglielo. E se anche in Baby c'è il Diavolo? Mi voltai all'improvviso e mi parve di scorgere negli occhi di Baby il Diavolo. Bisogna dirglielo.

Baby stava sotto la quercia grande e si chinava a inseguire una libellula.

– Guarda Penny! Una libellula!

– È una cicala!

Baby si chinò a guardare la cicala. Io mi chinai a guardare Baby. E se anche in Baby c'è il Diavolo? Mi voltai all'improvviso e mi parve di scorgere negli occhi di Baby il Diavolo. Glielo dissi. Allora ci voltammo spalle a spalle e contammo:

– Uno! due! tre! – e ci voltammo di scatto a guardarci negli occhi. Baby mi fissava con uno sguardo vitreo senza battere ciglio. Io cominciai a spaventarmi e ad urlare:

– Baby! Baby! rispondi!

Ma Baby mi fissava con sguardo sempre più gelido.

– Baby! – urlai cominciando a scuoterla fortissimo. Baby continuava a rimanere inerte e a farsi scuotere con lo sguardo fisso nell'infinito. Provai a farla ridere ma Baby mi fissava con gli occhi del Diavolo. Allora mi misi a piangere dallo spavento. Baby è lì di fronte a me con il Diavolo dentro di sé.

– Sei il Diavolo! Sei il Diavolo!

Baby salterellava ora a destra e a sinistra facendo grandi sorrisi per rassicurarmi.

– Penny, ti giuro che non sono il Diavolo!

– Davvero non sei il Diavolo?

– No Penny, ti giuro. Non sono il Diavolo e tu? neppure tu? – disse Baby fissandomi negli occhi.

Dissi a Baby che il prete aveva detto che il Diavolo si era impossessato dello zio e che per salvarlo era necessario fare dei « fioretti ». Dice il prete che ogni piccola rinunzia anche se piccola ha un valore e che con molte rinunzie e sacrifici forse riusciremo a non fare andare lo zio all'inferno. Il prete dice che all'inferno c'è il fuoco vero, che brucia veramente e per sempre.

– Non finisce mai?

– Mai.

– Che significa mai?

– Mai significa sempre. Il prete dice che non c'è solo il fuoco eterno ma ci sono tante altre sofferenze.

Dice che alcuni diavoli fanno camminare i dannati sui fagioli e prima gli fanno i tagli sotto i piedi.

Mi ricordavo perfettamente le sue parole e tutti i particolari. Il prete ci descrisse la tortura della goccia. Dice che un altro modo di fare morire le persone è di spalmarle di sale e poi farci andare le capre a leccare la punta dei piedi così che muoiono per il solletico.

A tavola Baby domandò allo zio se era veramente possibile morire per il solletico. Lo zio disse di sì e ci raccontò che un famoso scrittore chiamato Aretino era morto appunto per il troppo ridere.

Dopo pranzo ce ne andammo in giardino.

– Come morirà lo zio?

– Non so, lo zio non morirà.

– No – disse Baby, – non andrà all'inferno... ci vado io al posto dello zio.

– Non è possibile.

– Allora ci vai tu.

– Non è possibile perché c'è il Giudizio Universale –. Baby ci rimase male.

– Ma se facciamo i sacrifici e i fioretti ci va all'inferno? – disse Baby.

– No.

– Allora lo zio non morirà nel fuoco eterno?

– No, non morirà.

6

– Che penitenza facciamo?
– Facciamo a chi resta di più su un piede solo.
– Questa non è una penitenza. Dobbiamo soffrire.
– E come si fa a soffrire?
– Si fa come i piccoli martiri.
– Attraverseremo questo campo di spine tante volte fino a che le nostre carni non sanguineranno!

Lea, Pierino e Zeffirino guardarono il campo dei « picchi », così lo chiamavamo. Era un campo di fiori gialli e secchi con invece di foglie, spine.

Mi lanciai di corsa nei picchi ma mi fermai per il dolore, a metà. Gli altri non si muovevano.

– Avanti – urlai, e mi misi a correre mentre le lacrime mi scendevano dagli occhi per il dolore. Per sentire meno il dolore saltavo. Mi fermai dall'altra parte del campo contorcendomi. Gli altri erano in mezzo ai picchi. Erano fermi e non avevano il coraggio di andare avanti o indietro. C'era anche l'ortica tra i picchi. Guardai le mie gambe. Erano tutte rosse e bruciavano. Gli altri si avvicinavano saltando e urlando.

Finalmente arrivarono uno dopo l'altro:

– Ohi, ohi – e si rotolavano per terra.

Dopo, per ultima, arrivò Baby.

Guardai le gambe di Baby. Erano tutte rosse, con tante piccole spine ancora appiccicate. Anche Pasquetta si teneva su i vestiti fin sopra le cosce e mostrava a tutti noi le gambe:

– Guardate!

Lea si contorceva tutta.

– Basta! basta! – e metteva foglioline umide sulle cosce e sui polpacci, per sentire meno dolore.

– No, non basta. Abbiamo detto che facevamo dieci volte il campo e lo abbiamo fatto solo una volta!

E mi mettevo a correre inseguita dagli altri.

Le spine ci entravano nelle carni. Partivamo tutti insieme ad un « Via! » urlando come i selvaggi per incitarci. Il vero dolore cominciava dopo ed era quello dell'ortica.

Verso il tramonto apparve sulla collina lo zio assieme agli ospiti. Ci gridò:

– È tardi! Penny, Baby, venite a casa! – E agitò la mano. Proseguì con gli altri verso la Villa. La sua testa dai capelli bianchi. Sento che lo amo. Guardai le mie gambe piene di punti rossi e asciugai le gambe di Baby con altre foglie di lauro. Baby piangeva e per farla smettere raccolsi due o tre corbezzoli e glieli diedi.

– Io non ho attraversato il campo – diceva Baby.

Infatti, arrivata a metà campo era rimasta lì non riuscendo ad andare avanti o indietro.

– Ma tu sei piccolina.

Si fece buio e Zeffirino disse:

– Io vo a casa se no il mi babbo mi dà le botte.

Si sentiva infatti il babbo di Zeffirino gridare:

– Zeffirinoooo! Se tu 'un vieni subito subito, e t'accomodo io t'accomodo! Cialtrone! E c'è da andare a prendere l'acqua!

Il babbo di Zeffirino si toglie la cintura quando è arrabbiato e corre dietro di lui urlando e lo frusta con la cinta. Anche la mamma di Lea e Pierino gli dà i ceffoni se non lavorano, e se corrono e non si lasciano acchiappare si toglie gli zoccoli e glieli tira addosso.

Oh! come vorrei che lo zio mi frustasse con la cintura e mi desse i ceffoni, invece di guardarmi con quell'aria di rimprovero e togliermi la parola e il sorriso per giorni interi!

Le cameriere ci chiamarono per farci il bagno e mandarci a cena. Dopo cena ci mandarono a letto.

Annie può restare dieci minuti più di noi due alzata, perché è più grande e allora si siede sulla sedia a dondolo come una regina e ci guarda con commiserazione. Noi baciamo sulla guancia lo zio, Katchen, Marie. Agli ospiti facciamo l'inchino.

Spesso, quando sono stata cattiva e mi avvicino allo zio per dargli il bacio della buona notte, egli allontana il suo viso dal mio e mi respinge con un'aria di rimprovero.

Quella sera Annie sedeva sulla sedia a dondolo e mi fece lo sgambetto, allora io le saltai addosso, un po' per invidia e un po' per la rabbia, e le tirai le trecce. Lo zio vedendo ciò mi fece riempire dieci pagine il giorno dopo, nel mio quaderno delle punizioni, con questa frase: « Non bisogna tirare le trecce ».

Sfogliai il quaderno. Era quasi finito. Era pieno di frasi così: « Non devo dire bugie ». « Non devo tirare né tazze né bicchieri in testa a nessuno ». « Non devo tagliare con le forbici i vestiti che non mi piacciono ». « Devo essere gentile ubbidiente e rispettosa ». « Non devo rispondere quando sono sgridata ». « Non si parla a tavola con il boccone in bocca ». « Non si guarda dai buchi delle serrature ». « Non si fa lo sgambetto alle cameriere ». « Non si pesta il grano nei campi ». « Non si sporcano i muri con disegni e con le mani sporche ». « Non si rompono i vetri delle finestre tirando sassi ». « Non si vive sugli alberi ». « Non si parla ad alta voce ». « Non si cantano inni fascisti quando lo zio dorme ». « Non si gioca con i bambini dei contadini ». « Non si dà confidenza alla servitù ». « Non si va a letto vestiti ».

7

I grandi giocavano a cricket. Si sentivano le loro risa. Aunty sedeva sulla sedia a sdraio all'ombra di un gelso e leggeva *Vol de nuit*.

Lo zio aveva il bastone col manico d'oro vicino a sé. Edith dipingeva un albero, il marito Arthur le era vicino e fumava la pipa. Venivano da una villa vicina e consideravano noi piccoli molto meno del loro cane pechinese Cipì che era trattato come un re e mi mordeva sempre quando mi avvicinavo.

C'erano poi gli ospiti, un signore anziano, grande e grosso con i baffi rossi e gli occhiali che si chiamava Van Marlen e si occupava di storia dell'arte.

Abitava dall'altra parte del monte. Passava lunghe ore con lo zio nello studio pieno di libri.

Quando arrivava con la sua macchina, si fermava ai piedi della scalinata della Villa e rimaneva un momento a giocare con noi a campana. Si fanno dei segni col gesso per terra e poi si salta sempre su una gamba sola. Il signor Van Marlen ci provava ma non vinceva mai. È così grande e grosso e va sempre a finire che butta giù anche l'altro piede, allora Baby ride e urla.

Cosimo, il cameriere, venne a chiamarlo per dirgli che il tè era pronto e se lo portò via con grande mia rabbia e di Baby. Annie seguì il signor Van Marlen in salotto non dimenticando di voltarsi prima e farci le boccacce.

Edith dipingeva l'albero. Edith non voleva che noi si guardasse quando lei dipingeva. Questo ci spingeva a tenerci appollaiate in cima ad un albero vicino silenziosissime e in posizioni scomode per tutto il tempo che lei dipingeva, pur di stare a vedere come si fa un albero.

Sapevamo a che ora veniva con il suo cavalletto e il suo cane pechinese e l'attendevamo. Io guardavo il cielo tra i rami e potevo seguire così i vari richiami degli uccelli. Lea poteva addirittura imitarli!

– Mi scappa la pipì – disse Baby con gli occhi sbarrati.

– Trattieniti!

– A quella stupida scappa la pipì –. Pasquetta per il ridere fece scricchiolare il ramo.

Dal nostro posto potevamo vedere Edith, il quadro e il paesaggio che cancellava continuamente.

– Non ne posso più – disse Baby e fece la pipì.

La signora Edith fu offesa nel profondo e non ci rivolse più la parola.

– Mi sento molto meglio, mi pareva di scoppiare!

– Scema!

– Scema tu!

– Faccia di topa!

– Faccia di topa tu! – disse Baby piangendo e corse via. Io ci rimasi male.

– Lasciala fare! – urlò Pasquetta a me che la richiamavo.

– No, no... – Mi misi a correre. Tutto potevo accettare dalla vita fuorché non ricevere più i sorrisi di Baby. Se Baby è arrabbiata con me, il cielo si oscura e il sole diventa nero e il mio cuore si agghiaccia lentamente.

– Baby! Baby! – gridavo correndole dietro per i campi. – Via, dammi un bacino! Uno solo.

Baby continuava a correre tra l'erba.

– No – disse.

– Un bacino solo, Baby!

Si fermò trafelata.

– Va bene – e mi diede un bacino umido sulla guancia. Poi ci rotolammo giù per il pendìo verde abbracciate l'una all'altra. Anche gli altri arrivarono e stretti stretti rotolarono giù per la lupinella verde. Io stringevo Baby forte forte e pensavo che mi chiamavo Penny e Baby Baby, e non era Penny. Come mai io sono Penny e non Baby? E come sarei io se fossi Baby?

– Baby, non ti pare strano che tu non sei me?

– Come?

– Io ti voglio tanto bene che mi pare impossibile che tu non sei me. Chissà cosa sei tu e tu non sai cosa sono io.

– Tu sei Penny.

– Io mi sento come quest'albero, e tu a cosa ti senti uguale?

Baby disse che lei si sentiva come quel grillo che cantava e io dissi che mi sentivo come quella rondine, e così continuammo per parecchio tempo.

8

– Giochiamo al « dottore e l'ammalato ».

– Chi fa il dottore?

– Lo faccio io – disse Pierino.

Allora Lea fece la cameriera, io feci la signora Smith, Baby il signor Smith e Zeffirino e Pasquetta fecero il conte e la contessa, come al solito. In quel momento il campanello suonò. La cameriera corse ad aprire.

Era il medico.

– Questo è il medico – dissi io introducendolo al conte e alla contessa.

– Io sono la signora Smith e questo è mio marito – dissi al dottore, e indicai Baby.

– Una pasta signor dottore? – domandò Pasquetta.

– No, grazie contessa – disse Pierino.

– Prego – disse Baby, e presa una tazzina la mise in mano al dottore.

– Un po' di tè? – chiese Lea.

– Grazie signora Smith – disse Pierino prendendo una pasta alla crema che gli offrivo e facendo finta di mangiarla.

– Non c'è di che, signor dottore.

– Le piacciono le paste alla crema?

– Sì, signora contessa, ma le ciambelle mi piacciono di più.

– Ma dottore, lei sa bene che le ciambelle si fanno solo per san Giuseppe.

– Un'altra pasta? – chiese Lea a Pierino.

– No, grazie.

– Un'altra pasta, signora contessa?

– No, grazie – disse Pasquetta asciugandosi la bocca da vera signora.

– E la sporca tutti i tovagliolini di rosso, contessa! – gridò Lea arrabbiata.

– Non importa, dopo li lavo – disse la contessa.

– E se non va via la macchia lo zio che dirà? – chiese Baby preoccupata.

– Anche lei ha uno zio? – dissi io.

– Sì – rispose Baby ritornando in sé. – Ho uno zio e una cognata.

– Anche io ho una cognata – disse la contessa.

– La cugina della sua cognata sta bene, signora contessa? – domandò Pierino.

– Sì, grazie dottore, è invece il babbo della sposa che sta male.

– Un'altra pasta signor dottore?

– Prego, ne ho già presa una.

– Ne prenda un'altra – disse la cameriera.

– No grazie, non mangio mai dopo aver mangiato.

– Ma ora è pomeriggio.

– Grazie, ma è come se fosse dopo cena, con questo nuvolo che fa.

– È brutto tempo – disse Baby guardando il cielo completamente blu.

– Sì è brutto tempo signor Smith – disse Pasquetta tirando su il bavero della pelliccia di zia Katchen e asciugandosi col tovagliolo il sudore sulla faccia per il troppo caldo. Venne via della cipria e del rossetto.

– E la sporca tutti i tovaglioli di rossetto! – gridò la cameriera.

– Tu stai zitta che sei la cameriera.

– Dottore, mi sento male, mi visiti – dissi.

– Anche io mi sento male – disse la cameriera.

– Sì, mia moglie non si sente tanto bene – aggiunse Baby.

– Si spogli – mi ordinò il dottore.

– Vuole togliersi il soprabito signor dottore?

– Sì, grazie.

– Una pasta signora Smith? – chiese Zeffirino.

– No grazie, perché sono malata.

Io mi distesi sul divano e Pierino si curvò su di me per guardarmi.

– Apra la bocca signora Smith.

Io aprii la bocca come fanno i malati.

– E adesso dica trentatré –. E si mise a bussare sulla mia schiena.

– Dove ha male?

– Dappertutto – dissi lamentosamente.

– Si spogli completamente.

– Tolgo tutto?

– Tutto, tutto – disse Pierino.

Il dottore si chinò su di me, poi rivolto agli altri disse:

– Bisogna operare.

– Che cos'ha? – domandò la contessa.

– Appendicite.

– Appendicite! – esclamò Zeffirino. – Povera signora Smith!

– Bisogna metterle l'etere sulla faccia – disse il dottore.

– Ci penso io, signor dottore!

– Grazie signora contessa.

– Prego –. Pasquetta prese un tovagliolino e inzuppatolo d'acqua me lo mise sotto il naso.

– Non ti muovere – disse Pierino, – se no non posso operare.

– La tengo ferma io! – intervenne Baby e mi legò i piedi al divano con una cordicella.

– Grazie signor Smith – disse Pierino.

Io mi dibattevo perché i malati si dibattono.

Pasquetta e Zeffirino mi tenevano le braccia con altre cordicelle, mentre Baby passava il coltello e le tenaglie al dottore.

Il dottore si chinò su di me con il coltello. Pasquetta mi aveva imbavagliato per darmi l'etere e la contessa mi premeva sulla bocca il tovagliolo bagnato che quasi mi strozzavo. Intanto le mani del dottore scorrevano sul mio corpo e si fermarono.

– Qui – disse, e operò.

Io attesi che Pierino finisse l'operazione.

– Sta meglio? – chiese il dottore quando ebbe finito.

– Sì, molto meglio.

– Allora si può rivestire.

– Ora tocca a me! – gridò la contessa, e si svestì.

– Una pasta? – chiese la cameriera.

– No grazie, sono malata.

– Buon giorno signora, come sta?

– Male – diceva Pasquetta.

– Dove ha male?

– Dappertutto – diceva.

– Allora le farò un clistere – disse il dottore.

– Sì signor dottore – e la contessa si mise in posa.

Poi fu l'ora di cena e l'Elsa ci chiamò per lavarci le mani e mandarci a cena.

9

– Che vuoi tu? – gridò il prete a Zeffirino che sventolava la sua mano per l'aria.

– Padre... mi scappa...

– No, adesso no.

Poi continuò e disse che Pasquetta e Lea e tutti gli altri dovevano imparare la dottrina per essere cresimati, e che ce la dovevano insegnare anche a noi di nascosto, invece di giocare.

– Si consideri il gran male commesso offendendo gravemente Dio, nostro padre e signore, il quale ci ha fatto tanti benefizi, ci ama tanto e merita infinitamente di essere amato, sopra ogni cosa e servito con ogni fedeltà...

– Ancora tu? Che vuoi?

– Non ne posso più.

– Vai e torna subito.

Zeffirino sgattaiolò fuori dalla classe.

– Si pensi che la passione di nostro signore Gesù Cristo fu cagionata dai nostri peccati, e che a causa nostra egli fu flagellato, battuto a sangue; i soldati gli tolsero le vesti e giocarono a dadi sulla sua tunica. Lo portarono da Ponzio Pilato e gli dissero: « Crocifiggiamo lui o Barabba? ».

– E cosa credete che Ponzio Pilato abbia risposto? Barabba? No! Ponzio Pilato si fece portare dell'acqua e si lavò le mani. Cosa avreste fatto voi al posto di Pilato? L'avreste fatto crocifiggere voi Gesù, il figliolo di Dio? Dite!

E ci puntò il dito contro attendendo una risposta dalla classe.

– No! – dissi io alzandomi in piedi con gli occhi rossi.

– Ah no? – disse il prete adirato. – Anche Pietro uno degli Apostoli disse a Gesù: « No io non ti tradirò », ma poi lo rinnegò per tre volte la notte della crocifissione! E tre volte il gallo cantò.

– Silenzio! – disse alla classe, – non vociate tanto se no v'accomodo io!

Congiunse le mani e disse di ripetere insieme a lui:

– Misericordiosissimo mio Salvatore, ho peccato e molto peccato contro di Voi per mia colpa, per mia grandissima colpa...

Tutti ripetemmo in coro.

– ...ribellandomi alla vostra legge santa, e preferendo a Voi mio Dio e mio Padre celeste i miei capricci.

Io non capivo bene queste parole, cercavo invano un mio peccato e non lo trovai. Allora mi vergognai. Finalmente ne trovai uno che era quello di non seguire il prete quando pregava e di divagarmi pensando ai nostri giochi nei campi, con Baby e gli altri, alle cicale, che sono verdi quando nascono e sono come dei bacherozzi prima di uscire dal loro guscio. Poi si mettono al sole e io le guardo e dopo mezz'ora da verdi diventano nere e cantano se Lea gli fa il solletico sulla pancia. Lea non sa che si può morire dal ridere.

Ripetemmo in coro:

– Eccomi o mio amato e buon Gesù che alla santissima vostra presenza prostrato vi prego col fervore più vivo di stampare nel mio cuore sentimenti di fede di speranza e di carità, e di dolore dei miei peccati, e di proponimento di non più offendervi, mentre io con tutto l'amore e la compassione, vado considerando le vostre cinque piaghe.

E qui il prete si rivolse a noi e disse puntando il dito contro di noi e gridando:

– È colpa vostra se Cristo è morto sulla croce! Morto per noi! Per lavare i nostri peccati capite? – Alzò la voce:

– Il giorno del Giudizio Universale Egli tornerà e vedremo chi andrà in Paradiso! Perché voi pensate che all'inferno ci si stia bene? Ci sono i diavoli e se 'un fate opere di bene adesso, sarà troppo tardi dopo!

Nella foga parlava in dialetto fiorentino.

– E sicché anche se vu avete una macchietta così piccolina... – e qui fece il gesto con le dita per individuare un puntino.

– ...e la si vedrà il giorno del Giudizio Universale!

10

Quando sono entrata in salotto tutti erano a tavola ad aspettarci. Sulla tovaglia c'era un bellissimo vassoio pieno di krapfen alla crema che mi hanno fatto subito venire l'acquolina in bocca.

– Oh, eccola finalmente! – ha esclamato subito la zia.

– Cosa hai fatto? Perché hai il viso tutto sporco di nero? Dov'è Baby?

– Oh, qui vicino nel bosco dei lauri – ho continuato mettendomi a sedere a tavola.

– E che fa?

– L'abbiamo legata per fare alla guerra.

Ma lo zio e la zia si sono alzati di scatto in piedi. Cominciava a piovere.

– Abbiamo fatto quel gioco e per questo l'abbiamo dovuta legare e noi ci siamo dipinti la faccia di nero perché siamo gli abissini. Pierino era il Duce a cavallo. Baby ha voluto fare l'Eroe vestita da Piccola Italiana.

La zia diceva che Baby aveva paura dei tuoni e che le sarebbe venuta senz'altro una malattia e altre esagerazioni simili solo per un po' di freddo e un po' di pioggia.

Mi faceva rabbia vedere la casa in scompiglio e lo zio arrabbiato per una cosa da nulla. La cosa più irritante è stata che non ho potuto mangiare i krapfen perché son dovuta andare a far vedere dove era Baby, la quale invece era tutta contenta di fare l'Eroe vestita da Piccola Italiana.

È terribile quello che diceva lo zio di me e ripetevano gli altri. Dicevano che ero disubbidiente, dispettosa, bugiarda, una bambina senza cuore. E io che mi bagnavo tutta per andare a prendere Baby, non ebbi né comprensione né i krapfen con la crema come lei. Fui cacciata in camera come un cane.

Era una vergogna a sentir loro tutti. Quel che dicevano di me era terribile come se io non sentissi. Sempre colpa mia e mai di Baby perché Baby è più piccola.

Lo zio è per la giustizia. Lo zio è la giustizia personificata. Che la giustizia si sia messa tutta nello zio? La giustizia è una donna?

In camera da letto come un cane. E Baby mangiava i krapfen.

Ecco lo zio che picchia alla porta. Vuol sapere se sono pentita. Io non rispondo. Io non sono pentita perché non sono colpevole. Ma lo zio non capirà mai per quel viziaccio che ha di dire sempre la verità e di avere ingoiato la signora Giustizia.

Ecco, lo zio picchia, ma io non rispondo. Mi nascondo la testa sotto le lenzuola. No, io non sono cattiva, no, non sono una scellerata, no, io non sono una ingrata, sto zitta. E se lo zio butta giù la porta?

– Penny, rispondi.

Esco fuori dalle lenzuola e urlo:

– No, non chiederò perdono, non sono cattiva, non sono cattiva, non sono cattiva!

Lo zio se ne è andato e ha dato ordine a Marie di non farmi uscire se non scrivo cento volte: « Non si deve rispondere male ai grandi quando ci rimproverano ».

I grandi, i grandi. I grandi hanno sempre ragione e noi piccoli siamo impotenti: la mia verità e le mie bugie non sono vere.

Io invece credo alle mie bugie e credo, fermamente credo, che io sono buona e non ho mai fatto nulla di male, e voglio dimostrare allo zio che gli voglio bene.

Ma come faccio a dimostrarglielo? Pensare che io darei la mia vita per lui, e lui non lo sa.

Anche Baby ha detto che lei darebbe la vita per lo zio e anche la sua anima.

Ma lo zio ha detto che preferirebbe che noi fossimo buone ubbidienti e rispettose. Oh, come vorrei che lo zio mi picchiasse invece di tenermi il broncio per tanto tempo!

Lo zio è tornato varie volte ma io sono sempre chiusa in camera e non voglio pentirmi.

Nel pomeriggio vedendo Baby giocare nel giardino e avendo fame, sono improvvisamente corsa giù per lo scalone urlando: – Mi pento! Mi pento! Sono cattiva!

Elsa mi ha fatto un panino imbottito col prosciutto e uno col formaggio e me ne sono andata fuori a cercare Baby. Baby quando mi ha visto ha fatto un gran sorriso e mi ha dato dei pignoli che stava schiacciando. Aveva finito di piovere e c'erano le lumache. Ci siamo messe a guardare le lumache e Pierino le ha raccolte per farle spurgare e mangiarle.

Per far contento lo zio ho fatto la faccia di chi è cattivo e si pente. Lo zio dice che tutto sta ad incominciare e che non è poi una cosa difficile ad esser buoni, per qualche giorno almeno.

11

Ci rincontravamo tutti i giorni sotto la quercia grande a ripetere il catechismo.

– Per quale fine Dio ci ha creati?

– Dio ci ha creati per conoscerlo, amarlo e servirlo in questa vita e per goderlo poi nell'altra in Paradiso.

– Che cosa è il Paradiso?

– Il Paradiso è il godimento eterno di Dio, nostra felicità, e in lui, di ogni altro bene, senza alcun male.

– Non capisco – disse Baby piagnucolosa.

– La non capisce mai gniente, Baby, la ci fa perde un monte di tempo e basta. Dio bono, la non sta mai ferma un minutino, sempre a guardar le formiche, di certo se tu 'un stai a sentire e 'un capirai mai gniente – disse Pasquetta.

– Le mosche mi pizzicano – disse Baby.

– Ora ti pizzico io, se non stai ferma a sentire.

– Penny, spiegaglielo tu a Baby, gli è così semplice... vuol dire che Dio gli sta in cielo e noi s'andrà lassù con lui ad amallo servillo e per godello. Icche c'è di così difficile da capire, che tu lo sai tu?

– Andiamo avanti – disse Pierino.

I suoi piedi, essendo io sdraiata a pancia in giù sull'erba, venivano a trovarsi vicino alla mia faccia. Sapevano di fieno.

– E chi ci va in Paradiso?

Lea e Pasquetta risposero in coro:

– Merita il Paradiso chi è buono, ossia chi ama e serve fedelmente Dio, e muore nella sua grazia. I cattivi che non servono Dio e muoiono in peccato mortale meritano l'inferno.

Finirono di parlare in coro.

– Ma perché lo zio è cattivo? – domandò Baby.

– Il signor Padrone è cattivo perché non è battezzato ed è ebreo – disse Zeffirino.

– L'ha detto il prete – aggiunse Lea.

– Mio zio è buono – insisteva Baby.

– Lo zio è buono – ripetei.

– No, il signor Padrone non è battezzato e il Peccato Originale si cancella solo col santo Battesimo, perciò è peccatore.

– E cosa è il Peccato Originale? – chiese Baby sempre più piagnucolosa e risentita.

– Il Peccato Originale è il peccato che l'umanità commise... commise... – Pasquetta non sapeva più continuare. Lea continuò parlando veloce tutto d'un fiato:

– Che l'umanità commise in Adamo suo capo e che da Adamo ogni uomo contrae per natural discendenza.

Poi aggiunse:

– E siccome tra i figli di Adamo fu preservata solo la santa Maria Vergine, allora dobbiamo pregare la Vergine che è senza peccato, pura pura... Non vedete che visino candido che la ci ha?

Ci mettemmo a guardare la Vergine dipinta sul libro.

– Che labbra rosa! E ci ha due occhini che paiono due gocce di rugiada! – disse Lea.

– Ci ha la serpe sotto al piede!

– Sì, ma 'un le fa mica male la serpe alla Madonna, non vedi che la schiaccia col piede?

– La serpe l'è il Diavolo che la mette in tentazione.

– Sì, ma lo zio è buono e andrà in Paradiso – disse Baby.

– Il sor Padrone, l'ha detto anche il prete, gli è straniero e gli andrà all'inferno, perché gli ebrei non credono in Gesù né alla Vergine.

– Non è vero, lo zio Wilhelm non ci andrà all'inferno.

– E invece sì – disse Pasquetta, – e poi non va mai a messa, né lui, né gli altri e a voi non vi ci manda mai, e non v'insegna la dottrina e se non ci fossimo noi a insegnarvela andreste all'inferno pure voialtre.

– L'è vero – disse Zeffirino, facendosi serio in viso.

– Ma io ho paura – disse Baby scoppiando a piangere.

Pierino disse:

– Non è vero, loro due no, l'ha detto anche il prete perché le sono state battezzate prima che la loro mamma morisse.

– Non ve la ricordate la mamma?

– No – disse Baby.

– E tu Penny? Non te la ricordi?

– No – dissi sforzando la memoria. Ma il mio primo ricordo è Baby. Io e Baby su di un terrazzo e delle rondini in cielo. So che era a Piazza di Spagna e che la portinaia si chiamava Rosina. Lì siamo nate. Lì papà faceva il direttore. Fino a tre anni siamo state lì e gli unici ricordi che ho sono la terrazza, i tetti, le rondini e il rumore di automobili. La casa era vuota e io mi ricordo solo Baby. Papà faceva sempre il direttore e la governante tedesca ci chiudeva a chiave in casa e ci lasciava il mangiare sul tavolo. Se non ci piaceva lo nascondevamo sotto i cuscini delle poltrone. La governante tedesca era giovane e bella e si chiamava Lucy. Una volta io e Baby ci eravamo arrampicate sulle assi verdi col glicine attorcigliato. Eravamo arrivate in cima e guardavamo un vecchio che dalla finestra di fronte ci faceva dei segni e dondolava la testa serissimo, come per dire: no. Noi per vederlo meglio ci arrampicammo sempre più su spenzolandoci di fuori e facendo dei segni di saluto. Ad un tratto la porta si aprì e molta gente entrò sul nostro terrazzo e con grandi sorrisi ci dicevano di venire giù. Quando ci decidemmo a venire giù ci rimasi male e pure Baby di ricevere tutte quelle botte e cominciammo a piangere.

– Ma proprio nessuno vi ha portate mai a messa? – domandò Zeffirino.

Mio padre arrivò con una grossa bambola, che ci faceva paura tanto era grande, e ci mise in macchina e ci depositò da un suo amico pittore che si chiamava Ugo e sua moglie Renata, che avevano tre bambine e tutti ci baciavano e ci abbracciavano. Renata fu la prima a parlarci di Gesù.

Un giorno Renata ci mise in treno e ci lasciò qui alla villa dalla sorella di papà, Katchen, e dallo zio Wilhelm perché papà era andato in cielo dalla mamma, con la macchina.

Lo zio non ci abbraccia mai, Annie ci fa i dispetti e Aunty ci fa quelle terribili ore di lezione d'inglese e tedesco, sotto l'ombra degli elci quando le cicale cantano forte, e Lea e Zeffirino ci spiano da dietro i cespugli.

Renata ci disse:

– State buone e non fate arrabbiare lo zio – e poi sparì.

– Certo che a voi due non v'insegnano proprio nulla a casa. Non vi parlano neppure di Adamo ed Eva?

– No – disse Baby, – neppure di Adamo ed Eva.

Un giorno Renata ci diede un libro di preghiere dove c'era, sì, la figura di Adamo ed Eva e dell'angelo Gabriele con la spada infuocata. Ce lo aveva dato prima che andassimo alla Villa, e ci aveva detto che lo zio era tanto ricco e che era meglio per noi stare alla Villa, ma di ricordarsi di lei e di Gesù e dell'angelo Gabriele e di san Giovannino bello.

– Lo sapete almeno quanti peccati ci sono?

– No – disse Baby.

– Il Peccato Originale, il Peccato Attuale e il Peccato Mortale.

– Il Peccato Originale si cancella col santo Battesimo. Il Peccato Attuale è quello che si commette volontariamente da chi ha l'uso della ragione. Il Peccato Attuale è di due specie: veniale e mortale.

Ripetemmo tutti in coro.

– Non capisco – fece Baby.

– Zitta tu.

Zeffirino disse:

– Anche il Diavolo una volta era buono, ma poi è diventato cattivo, allora il signore Iddio lo buttò giù dal cielo.

E qui Zeffirino arrotondò le labbra per imitare la voce del Diavolo e disse con una vocina fina fina:

– Io da basso ci vo ma bisogna che tu mi mandi l'anime!

– E la Madonna che diceva? – domandò Baby.

– La Vergine santa non c'era ancora no? Che la doveva partorire nostro signor Gesù Cristo, e l'Angiolo non era sceso col giglio in mano da portare alla Vergine santa.

– Gli andò così la storia: Dio creò Adamo ed Eva, allora il Diavolo venne su a tentalli e diceva con una vocina fina fina: « Mangia la mela Eva, mangia la mela Adamo ».

– Così fina la vocina?

Anche Pasquetta fece la voce del Diavolo.

– Così proprio così?

– Sì, sì, l'ha fatta anche il prete. Certo che a voi due non v'insegnano nulla, a casa. Non vi parlano mai di Adamo ed Eva e del Diavolo?

– No.

– Nella Villa c'è il Diavolo, l'ha detto il prete. E il Padrone anderà all'inferno, ché non è battezzato. Si può essere battezzati anche da grandi purché lo si faccia prima di morire.

– E come si fa?

– Con l'acqua sulla testa.

– Perché non battezziamo lo zio?

– Non sei mica sacerdote tu.

– Noi si può soltanto pregare con fervore e fare delle messe per lui.

– Ma lo zio non è mica morto! – gridai.

– No, ma noi lo si fa per salvare l'anima sua.

– Sì, ma lo zio è così buono, non credi che Gesù lo lascerà entrare in Paradiso?

– No – disse Pasquetta, – e poi anche se lo volesse Gesù, c'è sempre Satana che lo prende e lo frusta.

– Lo frusta?

– Prima lo frusta e poi lo mette con gli altri dannati nel foco.

– Fuoco vero?

– Di certo, l'ha detto il prete.

Baby si rimise a piangere.

– E come lo sa il prete?

– Scusa Penny e tu vuoi saperne più del prete?

Che credi che ci stanno a fare i preti e i vescovi? Sentite questa...

– Non voglio che lo zio vada nel fuoco!

Io cominciai a singhiozzare. – Non voglio, non voglio!

Mi misi a picchiare Pasquetta.

– Chetati no? Che 'un lo si fa andare lo zio all'inferno se preghiamo per la sua anima e facciamo i sacrifici.

– Gli ebrei non hanno anima.

– Per l'appunto, bisogna fare penitenza – dissero tutti.

– Sì, le penitenze – disse Lea, – e più soffriamo e meglio gli è.

12

Il pennino scricchiolava sul quaderno a righe. Tema: « Amiamo Mussolini come nostro padre ». Svolgimento:

« Io amo Benito Mussolini più di mio padre, perché il mio papà non c'è. Io sto sempre con lo zio perciò amo Mussolini come lo zio ».

Poi ho chiesto alla signora maestra di andare al gabinetto. Nel gabinetto c'era un bel mazzo di fiori. Ognuno di noi aveva sul banco un vasetto per metterci dentro i fiorellini. Questo vasettino cadeva sempre sui quaderni con tutta l'acqua, rovinandoli. Ma il desiderio della signora maestra era di fare bella figura con il Federale che non si sapeva bene quando doveva arrivare. Avrebbe potuto arrivare da un momento all'altro. Anzi forse era già giù per le scale e stava salendo insieme agli altri signori. Quando arrivava, arrivava improvvisamente vestito in divisa fascista. Veniva con gli altri signori in macchina. La macchina nera era tutta infangata quando arrivava alla nostra scuola e una volta c'era una pozzanghera d'acqua proprio davanti alla macchina e il direttore si arrabbiò perché si sporcò le scarpe. Quel giorno noi si era tutte vestite da Piccole Italiane e i maschi da Figli della Lupa e si cantava in coro « Fuoco di Vesta che fuor dal tempio irrompi ». La signora maestra era tutta emozionata e ci diceva di cantare e di non berciare. Noi non si berciava, ma il direttore si portò le mani alle orecchie come per dire che si faceva troppo chiasso e c'era anche una donna, la Fiduciaria, che ci passava in rivista. Era tutta vestita di nero e aveva i gradi d'oro sulle spalle.

– Tu, vieni avanti! – diceva il Federale, ma io non sapevo a chi parlava, se a me o a Pasquetta, e poi avevo paura. E così non mi muovevo. Ma quello cominciò a urlare:

– Quella patata lì a destra! Venga avanti!

A sentir dire patata mi venne il dubbio che si trattasse di me e mi feci avanti e quello mi disse che avevo le scarpe gialle. Io l'avevo detto a Marie e a Elsa che mi vestivano, di mettermi le scarpe nere, ma lo zio venne e disse:

– Vanno bene quelle gialle.

– Sì – dissi allo zio, – ma io sono una Piccola Italiana, e voglio diventare « caposquadra ». E voglio avere i gradi d'oro e marciare vicino alla squadra marcando il passo!

Ma lo zio disse che ero piccola e che ero italiana e questo bastava, e che non aveva nessun piacere che avessi i gradi d'oro e che preferiva che io non dicessi più bugie. E disse a Cosimo di portarci a scuola.

Il Federale disse:

– Chi sei?

La maestra spiegò che ero la nipote del Padrone e allora lui cambiò faccia e disse:

– Fai i miei saluti allo zio.

Lo chauffeur venne a prenderci e la macchina sparì tra i saluti dei bambini nel viale lasciando polvere dietro di sé.

Io portai allo zio i saluti del Federale fascista.

13

Ieri non ho fatto nulla di male, ma oggi mi sono strappata il vestito. Allora sono corsa in cucina da Elsa e le ho detto di ricucirmelo subito. Elsa me lo ha ricucito, ma proprio quando ha finito è entrato lo zio e ha domandato che facevo lì in cucina.

Io ho detto che avevo sete e ho detto una bugia, ma poi lui mi ha chiesto se avevo rotto il vetro della sala da pranzo. Io ho detto che non ero stata io.

A tavola Marie voleva sapere dove era andato a finire il suo gomitolo di lana rossa, ma prima che potessi fare in tempo a dare un calcio a Baby, Baby ha detto che l'avevamo preso noi due per giocare a palla.

La faccia dello zio è diventata seria.

– E dove avete giocato a palla?

– Fuori – ho detto io.

– Il gomitolo l'ho trovato in sala da pranzo – ha detto Marie arrabbiatissima. – Vi ho detto tante volte di non toccare la roba degli altri. Perché allora dici di aver giocato fuori?

Annie si mise a ridere.

– Ma io volevo dire dentro – insistetti.

– Ma allora perché hai detto fuori?

– Perché abbiamo fatto finta di essere fuori quando eravamo in camera da pranzo.

– Va bene, ma eravate in camera da pranzo e in salotto, visto che anche il pesce di vetro è rotto.

– Sì, ma noi pensavamo di stare in giardino.

Mentre lo zio mi sgridava e mi mandava a letto senza cena, io mi domandavo perché mai mi si sgridava.

È vero sì che il vetro si era rotto e il pesce di vetro pure. Ma ci sono forse vetri nel bosco? Ci sono forse pesci di vetro nell'aria? Ora che colpa ne ho io se si sono rotti? Non lo abbiamo fatto apposta io e Baby. Baby aveva deciso che il salotto era il giardino e la camera da pranzo l'aia. È colpa mia se per lo zio il salotto è il salotto e il pesce un pesce?

Per noi due il pesce non era un pesce ma era un inglese che stava su un monte e che noi dovevamo fucilare, e poi è morto perché le Piccole Italiane e i Balilla hanno conquistato la montagna.

Non è vero che io sono senza cervello e senza cuore. E poi semmai è il Duce che ha rotto il pesce perché c'era anche il Duce in salotto a combattere.

Che cosa ha da ridere poi Annie, non lo so proprio. Mi fa solo piacere che anche Annie è stata strillata dallo zio perché non si ride a tavola quando lo zio è arrabbiato.

Io intanto penso al giorno in cui lo zio capirà che io sono buona e che la verità mia è vera. Mi figuro già di vedermelo venire incontro con le braccia aperte a fare la pace e a darmi tanti baci e tante carezze che non mi dà mai.

14

Oggi siamo andate in cucina dove c'era Marie che faceva la panna montata con i cialdoni perché era la festa di Annie, ma Marie ci ha cacciate via, allora noi siamo andate fuori a giocare al « corsaro nero ».

Io faccio sempre il « corsaro nero » e Annie fa sempre lei la donna del « corsaro nero » e si mette il rossetto, e Baby fa l'amico del « corsaro nero ».

Quando Annie non vuole giocare, io e Baby, siccome siamo in due, facciamo Don Chisciotte e Sancio Pancia. Il gioco consiste nell'andare contro i mulini a vento sui nostri destrieri. Io avanti e Baby dietro. Mi metto un piatto in testa per fare l'elmo e cavalchiamo il nostro cane San Bernardo, Alì, con la scopa in mano.

È lo zio che ci ha regalato *Don Chisciotte*, per Natale.

Oggi poi lo zio ci ha regalato *I cacciatori di teste* e tutti insieme abbiamo preso d'assalto il signor Pit. Dapprincipio il signor Pit si è difeso, ma poi ha lasciato fare con quell'aria di superiorità che gli è propria, e pensava che noi si scherzasse. Ma io non scherzavo davvero e lo abbiamo legato stretto stretto al tronco di un albero girandogli attorno con la corda, anche perché aveva perso gli occhiali e allora non ci vedeva, e non poteva fuggire.

Io ho avuto l'idea di chiedere il riscatto e gli ho chiesto tutte le caramelle che aveva nelle tasche e in camera sua.

Ma lo zio mi ha punita e non mi parla da tre giorni. Come farò a riavere un saluto da lui?

Un giorno io fuggirò da questa casa dove nessuno mi bacia e dove nessuno mi abbraccia. Staranno tutti bene senza di me e Elsa non urlerà più che le do noia in cucina o che le sparisce il pollo (perché l'ho portato a quel povero cane randagio che abbiamo trovato io e Baby) e Marie non strillerà più perché io ho detto a Leonardo che lei è innamorata di lui; solo perché l'ho letto nel suo diario ho detto forse una bugia? No, ho detto la verità e sono stata punita.

Anche Annie non si arrabbierà più con me perché non le ruberò più l'orsacchiotto giallo che a me piace tanto anche se è senza un occhio. L'occhio gliel'ho tolto io e l'ho dato alla Ginetta contro il malocchio. Perché alla Tosca, la sorella di Ginetta, le hanno fatto la « fattura » e non mangia più.

Anche Baby starà meglio senza di me. Ma io come farò senza Baby? D'altra parte io sono più forte, potrei sopravvivere mangiando fichi e uva e poi potrei lavorare e guadagnarmi la vita da sola e nessuno mi direbbe più che sono « ingrata ».

I grandi credono che i bambini non soffrono e che io non ho cuore solo perché ieri quando lo zio mi ha detto di andargli a prendere gli occhiali per leggere la posta, io correndo li ho fatti cadere per terra e si sono rotti. D'altra parte non fuggo sempre via come un fulmine, non appena ai « grandi » serve qualche cosa?

Penny vai a prendere il bastone dello zio, Penny vai su a prendere gli scacchi, Penny vai a prendere gli occhiali, Penny vammi a prendere il cappellino contro il sole; perfino Annie mi ha preso per il suo servitore personale: Penny vai a prendere le bocce. E poi mi strillano. Se sapessero invece i pensieri tetri che mi vengono in mente quando fanno così! Non sanno neppure che io penso spesso al suicidio.

Se morissi, allora sì tutti mi vorrebbero bene, e zia Katchen mi porterebbe i biscottini e Elsa il brodo in tazza, e lo zio mi accoglierebbe nel suo lettone e mi metterebbe tra lui e zia Katchen e mi stringerebbero forte forte, e io sarei tutta contenta e mi metterei a piangere dalla commozione.

Così, ho scritto su un foglietto: « Vado ad impiccarmi », e mi sono impiccata, ma siccome non morivo mai, mi sono nascosta con la corda al collo su su nel lucernaio della Villa e di lì su potevo veder correre a destra e sinistra, su e giù per lo scalone, apparire e sparire nelle stanze, lo zio, Elsa, Baby, Annie e Marie che piangeva e il signor Pit.

L'ho sempre pensato io che Marie è come la Madonnina, è buona e mi vuol bene. Elsa invece è cattiva e diceva: — Quella stupida, e l'ha combinata un'altra delle sue! — Baby invece non piangeva perché sapeva che ero nel lucernaio. Lo zio mi ha fatto pena e quando mi ha chiamata mi è venuto da piangere. Ma era proprio vero che mi rivoleva?

Ho cominciato ad avere paura di tornare giù senza essermi impiccata. Avevo ancora la corda al collo, ma non sapevo bene dove appendermi.

La zia Katchen, piangendo, ha cominciato a gridare: – Penny torna! – E siccome piangeva e anche Marie, mentre lo zio e tutti gli altri erano fuori a urlare, e anche il signor Pit, ho deciso di scendere.

Lo zio mi ha guardata fisso negli occhi senza pronunciare parola. Katchen piangendo ha detto: – Perché l'hai fatto? – Poi abbracciandomi ha detto: – Non stai bene qui con noi?

Allora io sono scoppiata a piangere e ho detto che io gli volevo tanto bene a lei e allo zio e che pensavo che loro non mi volevano più bene perché ero cattiva, e ho detto che lo zio non mi abbracciava mai, e sono salita sulle sue ginocchia e le mie lacrime gli cascavano sul collo. Allora lui mi ha abbracciata forte forte, ma poi mi ha subito punita e mandata a letto senza cena.

Io amo zio Wilhelm più del Duce, più di Gesù e più dell'Italia.

A scuola ci sarà una recita. Noi reciteremo tutti
qualche cosa. Elsa sta preparando insieme con Rosa
i vestiti per la festa. Baby sarà vestita da angelo
e io anche. Marie e Katchen stanno facendo le ali.
Anche a me le fanno, ma Marie dice che ho lo sguardo troppo cattivo per fare l'angelo. La signora maestra ha mandato a chiedere se Annie e Marie potevano suonare il violino per la recita e io e Baby cantare una nuova canzone fascista. Lo zio trova la
canzone orribile quando la cantiamo ed esce sempre
dal salotto quando Marie suona il piano per accom-
pagnare Annie che suona il violino e noi cantiamo.
Annie si dà tante arie perché suona il violino; se c'è
da andare al piano di sopra a prendere gli occhiali
ad Aunty che li dimentica sempre o c'è da fare qualche cosa di noioso, dice: andate voi due che io devo studiare il violino. Invece non lo studia mai e se
ne approfitta per andare sulla sua bicicletta.

Io e Baby abbiamo deciso che la picchieremo con
tutte le nostre forze.

Certo però non si può fare bene l'angelo con questo pensiero in testa. Serenella e Piera Cuccurullo,

loro sì fanno bene l'angelo con quei capelli sciolti sulle spalle! Sono della terza elementare. I miei capelli sono corti e scuri. Come vorrei avere anch'io i capelli lunghi e lisci!

Fabrizia, invece, che è della quarta elementare farà la parte della Madonna e dietro, tutti gli angioli in coro canteranno. Alcune bambine saranno sedute su delle panche. Altre ancora avranno delle ghirlande in testa, io sarò nella seconda fila a destra. Anche io avrò una ghirlanda in testa, Baby invece sarà in prima fila con un giglio in mano. A un cenno della maestra noi si comincerà a cantare. Ci sarà il direttore che fa anche il Federale del Partito. Annie che è più alta sarà vestita da Piccola Italiana.

Il coro è piuttosto complicato perché è quello che cantano gli angioli e va sempre più in alto, più in alto, ma io non ci arrivo. Si canterà l'Ave Maria a un cenno del direttore, poi l'inno fascista e tutti gli angioli si leveranno in piedi e passato nella mano sinistra il giglio che tenevano nella destra, faranno il saluto romano. Anche Marie sarà vestita da antica romana con delle spighe di grano sulle braccia, per fare un quadro rappresentante la dea Cerere e la ricchezza d'Italia.

16

La nostra cameriera Rosa fa l'amore nel bosco con Nello, mentre Pippone fa l'amore con la Beppa.

– Cosa fanno quando fanno l'amore?

Zeffirino disse che Pippone faceva l'amore tutte le sere dietro ai cespugli e che se volevo andare a vedere lui mi ci portava. La Beppa è la moglie di Cencetti che ha cinque figli e uno si chiama Corpoliscio perché ha il corpo liscio.

– Come si fa a fare l'amore?

Zeffirino disse che l'amore non ci voleva nulla a farlo e che era una cosa semplicissima.

Quando arrivammo in cima alla collina per cercare Pippone il sole stava calando. I tronchi degli alberi erano rossi dalla parte del tramonto e neri dall'altra. Mi ero tolta le scarpe anch'io e potevo udire appoggiando l'orecchio a terra, come faceva Zeffirino, dei rumori più lontani al di là dei cespugli di ginestre.

– Andiamo a vedere.

Andammo davanti al cespuglio dove facevano l'amore. Io vidi che un uomo stava sdraiato sopra una donna, lo capii questo perché ci aveva quattro piedi e la testa coperta tra i cespugli.

– Sono morti, stanno così fermi!

– Pippone ci ha quattro gambe! – disse Zeffirino e scoppiò a ridere ma una sassata in testa lo fece smettere subito. Ci mettemmo a correre giù per la collina. Avevo visto Pippone sorgere dal cespuglio e urlare e gettare sassi contro di noi. Ancora adesso stava sulla cima come un gigante e tirava sassi.

– Hai visto? – disse Zeffirino rosso in viso quando eravamo giù, – si baciavano!

Nell'aia c'erano Baby e Pasquetta e Lea e Pierino.

– Abbiamo visto Pippone e la Beppa fare l'amore!

– Davveroooo? – domandarono tutti insieme.

– Si baciavano!

– Che cosa fanno quando si baciano? – domandò Baby.

– Si toccano la lingua.

– Si toccano la lingua Pippone e la Beppa?

– Sì, sì, si toccano la lingua – disse Zeffirino, – li ho visti con i miei occhi.

– Si toccano la lingua quando fanno l'amore?

Pierino disse che quelle macchie sulla luna sono due innamorati che si baciano. – Non li hai visti sulla luna gli innamorati che cosa fanno?

– No – disse Baby.

– Ora ti faccio vedere... – Pierino tirò fuori la lingua e disse a Lea di tirare fuori la sua e tutti e due si misero uno di fronte all'altro e si toccarono la lingua. Lea fece un salto indietro sghignazzando e dicendo che Pierino le faceva il solletico sul naso.

– Anch'io! Anch'io! – disse Baby.

– Eccomi... – disse Pierino chinandosi all'altezza di Baby. Pierino e Baby si toccarono la lingua e poi Pasquetta e Lea si toccarono la lingua e poi io e Zeffirino ci mettemmo l'uno di fronte all'altro per baciarci. Ma poi si cominciò a fare le boccacce e a prenderci a botte e Pierino mi baciò leccandomi tutta la faccia e il collo. Anche Zeffirino cominciò a leccarmi le orecchie e si affondava tutti nella paglia.

– Sono pieno di pidocchi – disse Zeffirino berciando.

– Un altro bacio!

– Ora ti acchiappo!

Il grano era quasi alto come tutta Baby ormai e ci facevamo un varco in mezzo ridendo. Ad un tratto vidi il babbo di Pierino dall'altra parte del campo sbraitare contro di noi che calpestavamo il grano.

17

Per la festa a scuola venne il Federale fascista. Poi io e Baby vestite da angioli ci facemmo avanti per cantare la canzone per il Duce. Diceva così:

« Mussolini Mussolini, col bastone e col cannone, con l'aspetto baldo e fiero, il fascismo e la Nazione sopra tutti trionferà ».

Anche Annie vestita da Piccola Italiana si fece avanti con il violino in mano. La signora maestra era commossa ed era tutta rossa in faccia. Anche Annie era rossa e la sua mano tremava. Incominciò a suonare, ma non riusciva più a leggere la musica per l'emozione. Allora io e Baby ci mettemmo a cantare a squarciagola affinché il signor Federale non sentisse Annie che stonava. Ma poi cominciammo a stonare anche noi due per seguire Annie.

– Viva il Duce! – disse la maestra quando il Federale stava per andare via.

– A noi! – urlammo tutti a squarciagola.

Ma il Federale tornò indietro per interrogarci.

Fece venire avanti Zeffirino e domandò:

– Qual è il fiume più grande d'Italia?

Zeffirino ci pensò su un momento, poi Cesira suggerì:

– Po... po... po.

– L'automobile! – disse Zeffirino.

– Il Po – disse il Federale arrabbiato.

Poi interrogò la Cesira.

– Che animale è il cammello? – domandò il Federale.

La signora maestra sorrise a Cesira per incoraggiarla. Ce lo aveva insegnato infatti e ci aveva fatto anche fare un pensierino sopra il cammello.

Ma la Cesira rispose che il cammello vive nel deserto e che quando ha fame si mangia le gambe. Invece di dire che quando ha fame si mangia le gobbe.

Alla Villa quando tornammo lo zio ci diede il permesso di restare vestite da angioli.

Domenica ci sarebbe stata la processione della Madonna. I contadini l'avrebbero portata a braccia dalla chiesa del paese fino alla Villa, e poi l'avrebbero portata indietro.

Avrebbero camminato portando la Madonna sulle spalle e facendola chinare in avanti ogni cinque passi. Le donne avrebbero cantato: « Ave, Ave Maria ». Certo che Pasquetta e Lea quando cantano strillano così forte che il prete dice sempre che berciano.

La domenica il prete annunciò la venuta del Vescovo al paese; me lo disse Lea perché noi non ci mandavano a messa. Disse che il Vescovo avrebbe fatto una visita allo zio alla Villa.

– Il Vescovo ha l'anello che fa i miracoli e bisogna baciargli la mano.

– Allora il Vescovo farà una visita ufficiale alla Villa, proprio allo zio? – chiese Baby.

Lea diceva che era come se entrasse in casa lo Spirito Santo, e ripeté che il Vescovo aveva un anello grosso grosso che faceva miracoli. Baby disse che non voleva che il Vescovo lasciasse la Villa se no avrebbe portato via la benedizione con sé. Si preoccupava che tutti i suoi giocattoli fossero pronti in fila per la benedizione.

– Come mai il Vescovo viene a trovare lo zio che non è battezzato?

– Forse non lo sa, il signor Vescovo.

La Villa era tutta addobbata per l'occasione e le coperte colorate erano fuori dalle finestre. Katchen e Marie si affaccendavano su e giù per le stanze per addobbare le finestre. Lo zio stava nello studio come al solito tra i suoi libri. Era più nervoso del solito e io avevo già ricevuto dei rimproveri. Tutti correvano e tutti parlavano.

Noi piccoli ci avevano mandato nei campi a cogliere i fiori e a preparare un tappeto colorato ai piedi dello scalone dove la processione si sarebbe fermata un poco e dove avrebbero deposto la Madonna per poi riportarla via.

Un venticello alzava il vestito di Baby mentre si chinava a cogliere i fiori per la Madonna, sparendo tra i papaveri e le ginestre. Ogni tanto i suoi ricci biondi riapparivano e si avvicinava saltellando con manciatine di violette e di ciclamini tra le mani.

I contadini avevano scritto sul vialone, con le foglie di lauro: « Ave Maria ».

Bisognava riempire gli spazi vuoti con dei fiori. Noi pensavamo a questo. La lettera « A » era tutta gialla di ginestre e la lettera « M » di violette e di papaveri. Elsa ci chiamava. Venite subito su a vestirvi!

Ci rispedì giù sullo scalone tutte pulite con i fiocchi in testa. Intanto si vedeva su per la collina avvicinarsi il corteo. I carabinieri erano in testa, poi veniva il prete e benediva, poi i chierichetti, il Federale, le donne che cantavano e i bambini vestiti di bianco tra cui c'era Pasquetta. Sembrava un'altra così vestita di bianco. Cantava e non ci guardava neppure... poi ecco... ecco... il Vescovo e poi ecco... la Madonna.

Sotto un baldacchino tutto d'oro si avvicinava lentamente sulle spalle degli uomini chinandosi.

– Guarda la Madonna, piange! – disse Zeffirino.

– Ci ha sorriso! – gridò Lea.

Si avvicinava lentissimamente alla Villa. Ai piedi dello scalone c'era lo zio tutto vestito di bianco con il cappello a larghe falde, bianco.

– Potrebbe essere un santo – disse Pasquetta guardandolo.

– Se la Madonna gli farà la grazia, lo sarà.

Le trombe squillavano e tutti cantavano ancora più forte.

La Madonna fece l'ultimo inchino quindi si voltò

e cominciò a ritornare indietro lentamente sparendo alla fine del vialone seguita dal corteo.

— A me mi ha fatto cenno con la mano, e a te?
— A me no — dissi io triste.

18

Marie era molto agitata. Stava preparando le fragole da offrire al Vescovo. Marie era brava nel preparare le cose più strane. Oggi aveva deciso di sbattere le fragole e fare lo spumone.

– Katchen are you ready?

Lo zio parlava sempre in inglese e parlava in tedesco quando si arrabbiava.

Lo zio mi disse di chiamare Katchen, che era tardi. Katchen mi mandò in cucina a vedere se Marie era pronta, e colse l'occasione per stringermi il naso come ringraziamento e rivolgermi qualche domanda in inglese. Il cameriere passeggiava su e giù e mi faceva venire il nervoso, ci guardava dall'alto in basso e sembrava lui il padrone di casa.

Tutta la servitù e i contadini erano nell'atrio perché volevano baciare la mano al Vescovo. La macchina del Vescovo arrivò.

Ne scese il parroco, un monaco, un altro prete, e il Vescovo tutto vestito di viola. Il Vescovo scese dalla macchina. Il parroco gli faceva strada, lo zio gli venne incontro, e gli diede la mano.

Nell'atrio i contadini e la servitù aspettavano il

Vescovo per baciargli la mano. Anche io Baby e Annie eravamo lì. Il Vescovo era grandissimo di aspetto e mi parve di scorgere nei suoi occhi una gran luce. Tutti gli si gettarono ai piedi e gli baciavano la mano. Sorrideva dolcemente con bontà porgendoci la mano con l'anello. Il Vescovo offrì la mano a Baby. Baby si aggrappò alla sua mano e non se ne staccò più. Il Vescovo scosse la mano e poi scosse il braccio, il suo volto si corrucciò. Baby aggrappata alla mano singhiozzava: – Salvalo, salvalo –; ma non si capiva nulla. Il Vescovo sgrullò la mano ancora una volta senza riuscire a liberarsi di Baby. Vidi venire avanti lo zio adirato e dire:

– Baby! What are you doing!

Tutti noi tirammo via Baby dalla mano del Vescovo che riprese a sorridere ed entrò nel salotto con gli altri.

Il manto del Vescovo fu lasciato fuori nell'ingresso e i contadini lo baciarono.

– Scema! – disse Lea a Baby.

Baby disse tra i singhiozzi che lo zio non aveva baciato l'anello del Vescovo e che quindi non sarebbe stato salvato e che lei non voleva che il Vescovo se ne andasse dalla Villa senza fare il miracolo.

– Fintanto che il Vescovo è nella Villa – disse Pasquetta tutta bianca e con la striscia di seta in testa, – ci sarà anche lo Spirito Santo –, ed accennò al manto del Vescovo che era appeso nell'atrio.

Io sgattaiolai in giardino e guardai attraverso le persiane socchiuse del salotto grande. Sentii il parroco domandare allo zio perché non ci mandava a messa visto che eravamo battezzate, e che senz'altro i nostri genitori ci avrebbero mandato.

Al che lo zio rispose con voce piuttosto fredda che riteneva di lasciarci decidere a noi quando saremmo state grandi e avremmo potuto capire.

E siccome il parroco diceva che non era giusto che non si andasse a messa, il Vescovo lo interruppe parlando della bontà di Dio che è infinita e che prima o poi avrebbe illuminato tutto. Il Vescovo parlava con dolcezza, come un santo.

Entrò Cosimo con le fragole.

Vidi Baby che si avvicinava correndo dall'atrio verso di noi. Potevo scorgere tra le sue mani un pezzo di stoffa viola proprio come quella del manto del Vescovo.

– Ho tagliato un pezzo del suo manto! – disse Baby. – Così lo Spirito Santo non se ne andrà mai da qui –. E con le forbici che aveva nell'altra mano si mise a scavare nella terra sotto il nespolo.

– Lo metto qui sotto – disse.

La sera lo zio ci mandò a letto senza cena e io dovetti scrivere venti pagine con questa frase: « È vietato tagliare i vestiti dei Vescovi ».

19

La campanella all'uscita suonò, e io corsi giù a prendere Baby che si stava facendo portare la cartella da Zeffirino.

– Guarda! – diceva Baby, e tirava fuori la lingua.

– Baby, guarda me! – diceva Pierino, e tirava fuori la lingua sua.

– Qual è più lunga?

– Penny fammi vedere la tua.

Io tiro fuori la mia, ma Zeffirino è il più bravo, perché è riuscito a toccarsi la punta del naso.

– Signorine, le vengano che c'è la macchina!

Tornando a casa si sentì lontanissimo un rumore come di tuono.

– Piove? – chiese Baby allo chauffeur.

– No, è il cannone.

Io sono molto triste perché il Re ha messo in prigione il Duce e allora Hitler, il suo amico, è venuto e l'ha salvato, e adesso il Duce parla alla radio contro i traditori.

Non riconosco più la sua voce, è cambiata e parla di resistere e non più di vincere. Ricordo invece un discorso da Palazzo Venezia. La radio diceva:

Ecco, il Duce sta passando in rivista i soldati, ecco ecco il Duce non cammina, vola. Ecco il Duce ha finito di passare in rivista i soldati e si dirige con passo altero verso i gerarchi che gli sono intorno e a mala pena lo seguono. Il Duce quasi non tocca terra, il suo sguardo è fiero, egli sorride, sale le scale, i gerarchi fanno fatica a tenergli dietro tanto è agile il suo passo. Ecco ecco il Duce ha raggiunto il balcone e si affaccia a salutare il popolo esultante!

Lo zio era seduto su di una poltrona corrucciato.

Come parla bene il Duce. La sua voce ha un suono pieno. Parlava a intervalli regolari fermandosi soffocato dalle grida:

Perché l'Italia fascista...

Grida.

Dico, l'Italia fascista...

Grida.

Non si lascerà sopraffare. Vinceremo!

Grida.

Anche noi gridavamo.

– Viva l'Italia! – ha urlato Annie agitata.

– Viva il Duce! Viva l'Italia! – gridavamo io e Baby.

– Dobbiamo mettere la bandiera fuori della finestra, papà? – disse Annie.

Lo zio non rispose.

Annie si voltò contrariata verso Marie e Katchen:

– La bandiera, mamma!

– Andate fuori! – gridò lo zio serissimo, – fate troppo chiasso!

Noi tre corremmo urlando nel piazzale cantando inni fascisti a squarciagola. Vorrei che il Duce ci sentisse, che siamo con lui, che lui può contare su di noi, che siamo fiere di essere Piccole Italiane e di dare se necessario il nostro sangue per la causa della Rivoluzione fascista.

A scuola il Federale ci disse una volta che il Duce aveva liberato l'Italia dai bolscevichi che portavano le camicie rosse, bestemmiavano e sputavano sempre per terra.

— Giochiamo alla guerra!

— Io sono il generale e tu? — dissi io.

— Io sono Fabio Fabrucci del terzo reggimento fanteria — disse Pierino.

— Grazie capitano per le sue imprese. Ha trovato il nemico?

— Sì, signore, l'ho visto e l'ho accerchiato alle spalle.

— Davvero? Senza esser visto?

— Sì, signor generale.

— Dove sono i prigionieri?

— Eccoli signor generale.

Entrarono con le mani in alto uno dopo l'altro. Per prima Baby, poi Zeffirino, Lea, Pasquetta e Angelo.

— Giù le mani! — disse il generale. — Dio stramaledica gli inglesi! — urlò Pierino.

— Ed ora ci descriva la sua eroica impresa, capitano.

— È andata così, signor generale. Io mi trovavo

a fare la sentinella quand'ecco che ho visto il nemico. Oh! Oh! ecco il nemico! mi son detto io.

— Da cosa ha capito che era il nemico?

— Me lo ha detto il signor generale.

— Non sa che tutti i nemici hanno la camicia rossa e sono bolscevichi?

— Sì, signor generale, e poi bestemmiano.

— Gli ha detto di non bestemmiare e di non spu-
tare per terra?

— Sì, signore, gli ho detto di non bestemmiare.

— Va bene, poi cosa ha fatto?

— Dopo aver fatto prigioniero il nemico ho preso
la bandiera d'Italia e l'ho piantata in cima al monte
gridando: Viva il Duce, signore.

— Bravo.

— Mettiamogli la medaglia.

— Va bene, ecco la medaglia.

— Buon giorno signor generale — disse Zeffirino
facendosi avanti.

— Chi sei tu?

— Il soldato Alfiero Brissoni del sesto fanteria.

— Che vuoi?

— Sono stato nel campo nemico e senza farmi scorgere ho rubato le galline e ho piantato la bandiera
tricolore al posto della bandiera nemica. Scappando
ho ucciso il comandante nemico con un colpo di
baionetta, il suo aiutante con un colpo alla nuca, tutti i suoi soldati con un po' di veleno che avevo qui
nel taschino e poi ho avuto un corpo a corpo con la
sentinella che stava per dare l'allarme. Allora gli ho

ficcato la baionetta nel cuore e lei è stramazzata facendo Huuuug! Io allora mi sono voltato e ho visto altri dieci nemici che mi assalivano alle spalle e zaff, zaff, li ho colpiti. Poi uno è cascato a terra e ha fatto per tirare su di me e mi ha tolto solamente un occhio signor generale. L'ho dato volentieri per la Patria.

– Va bene, eccoti la medaglia.

Venne Pierino. Si avanzava barcollando con le stampelle.

– Cosa sono quelle?

– Le grucce signor generale.

– Cosa hai fatto?

– La guerra, signor generale.

Pierino parlava e tremava scuotendo la testa ritmicamente.

– Sei ferito?

– Non importa signor generale.

– Sei un valoroso, racconta.

– Ho colpito a destra e a sinistra... teste di qua teste di là.

– Quanti morti?

– Nessuno signor generale.

– Sei un coraggioso.

– Anche io! Anche io! – gridavano Baby, Annie, Zeffirino e gli altri chi zoppicando, chi con il braccio al collo.

– Zitti voi.

– Soldato Baccucci Fiorenzo quinto reggimento cavalleria.

– Come hai perso le gambe?

– Ecco signor generale. Era buio e non ci vedevo, allora ho sentito la voce del nemico che diceva: Tutti porci quegli italiani. Allora io ho detto: porci sarete voi! E mi sono lanciato contro di loro e li ho uccisi tutti. Allora uno di loro ha detto: sei un valoroso porco italiano. Io che ero senza gambe sono andato fino alla finestra e ho messo fuori il tricolore. Poi, sempre senza gambe, sono tornato qui signor generale. Ai suoi ordini!

– Va bene, eccoti la medaglia.

– Viva il Duce, abbasso gli inglesi. Avanti, all'attacco! – Avanzammo correndo e facendo « Ta ta ta ta ta ta... ».

20

Il giorno dopo lo chauffeur arrestò la macchina sulla strada maestra. Stava passando un gruppo di fascisti che cantavano. Erano vestiti di nero con i gradi d'oro e avevano gli stivali neri e portavano le labbra nascoste sotto i baffi.

– Le vengano via signorine – disse lo chauffeur e ci mise in macchina e ci portò via alla Villa.

Sull'aia Pippone prese Baby per i piedi e la gettò in aria riacchiappandola. Poi se ne andava passeggiando con me e Baby sotto le braccia come se fossimo due sacchi.

Pippone diceva: – Le mie tasche sono così grandi, che ci stanno due navi dentro. Una a destra e una a sinistra.

– Davvero?

– Certo. Due navi – ripeté.

– Annie, lo sai che Pippone ha due navi in tasca?

– Cretina.

– Annie fammi andare un pochino sulla tua bicicletta!

– Me la rompi!

– No, non la rompo. Annie fammi andare un po' sulla tua bicicletta!

– Tu e Baby rompete tutto.

– Chiedimi tutto quel che vuoi e te lo farò – dicevo io, – se mi lasci andare sulla tua bicicletta.

Annie si fermò un momento come per pensare. Poi disse:

– Se voi mi fate Regina ve la do.

Siccome anche Pasquetta e Lea e Zeffirino e Pierino volevano andare sulla bicicletta di Annie, la facemmo « Regina ». All'incoronazione di Annie c'eravamo tutti. Come l'odiavo lì seduta sul trono, Annie, che si faceva pettinare i capelli da Lea e ordinava a noi di stare chini in ginocchio davanti a lei. Eravamo diventati i suoi schiavi. Solo Lea si era accattivata l'animo della Regina ed era diventata la sua consigliera.

– Puzzona! – le urlò Pasquetta.

– Puzzona sarai tu – disse Lea a Pasquetta, e le tirò un buzzico in testa.

– Basta! – disse la Regina scendendo dal trono. – Voglio che gridiate per cento volte: « Viva Annie! ».

Noi gridavamo per cento volte « Viva Annie » ma non bastava. Dovevamo coprirci di terra, stare in ginocchio e farle tutti i servizi possibili immaginabili. Primo tra tutti spazzolare i capelli. Tutte le mie pigne erano passate nelle mani della Regina. Fino a che un giorno le dissi: – Tieniti la tua bicicletta.

Infatti avevamo scoperto un nuovo gioco: andare a cavallo dei maiali selvatici. I porci venivano lasciati liberi al mattino dalla madre di Pierino e ritornavano la sera. Durante il giorno andavano nel bosco a mangiare castagne. I porci selvatici, dice Lea, quando trovano le castagne le aprono e mangiano il di dentro senza bucarsi il naso. Dice che sono selvatici e quando si mangiano si chiamano « magroni ». Noi si mangia sempre le castagne nel bosco crude e poi ci viene mal di pancia.

— Uuuaaah! — urlava Pierino balzando su un porco che passava. Ma il più delle volte ci sbalzano via grugnendo. È meglio reggersi alla coda oppure alle orecchie. Che bello galoppare per il bosco rasentando le erbe e tenendosi stretti alle loro orecchie! L'unico inconveniente è che io e Baby si puzza.

Un giorno arrivò Zeffirino tutto pelato:

— Ci avevo i pidocchi — disse, e si gettò su un porco. Lo seguivamo urlando. Ognuno su un altro maiale, stringendo le ginocchia e frustandoli per farli correre ancora più forte.

21

Ripetevamo i dieci comandamenti e io mi domandavo cosa significava « fornicare ». Pasquetta disse che significava: « Non parlare male di Dio ». Poi mi rimaneva oscuro quel « Non desiderare la donna d'altri ». A me non era mai passato in testa di desiderare la donna d'altri. Mentre spesso avevo desiderato una bicicletta. Ma poi pensai che se si fosse avverato questo desiderio lo avrei sprecato, perché, in fondo, avrei potuto chiedere la donna d'altri.

Pasquetta ha fatto la Cresima. Il Vescovo le ha messo in testa il « chiodo » e una striscia di seta. Per questo è tutta baldanzosa sentendosi superiore a noi perché non siamo cresimati.

– È tutto pronto per la messa.

Facciamo la funzione per lo zio.

Avevamo costruito nel bosco una chiesa, dove anche io e Baby potevamo seguire la messa la domenica. Ci inginocchiavamo tutti davanti all'altare. Da una scatola di latta toglievamo pezzettini di cioccolata che avevamo rinunciato a mangiare per salvare lo zio e li deponevamo sull'altare. Zeffirino portò del pollo.

Per soffrire di più mettevamo delle pietrine aguzze sotto i ginocchi per tutto il tempo che dicevamo il rosario. Pasquetta tirò fuori una statuina della Madonna dal vestito celeste e dal manto rosa e disse che aveva provato a leccare la statuina e che aveva sapore di zucchero... Noi tutti leccammo la statuina che sapeva di zucchero. Sotto la statuina c'era la fotografia dello zio e del Duce.

Lea disse che santa Teresa si frustava tutti i giorni davanti alla Croce, che san Francesco dormiva per terra anche quando stava male, e quando i frati gli dicevano: « San Francesco, vogliamo che tu stia bene e perciò tu devi dormire nel letto », san Francesco rispondeva che lui sul letto non ci voleva dormire e che voleva dormire per terra e spirò. Decidemmo che anche noi dovevamo flagellarci le carni e dormire per terra. Allora Pierino andò a cercare un bastone e tornò con una frusta di giunco.

– Frustami – dissi.

Baby disse:

– Frusta anche me! – e si mise in posizione, col sedere in su. Si tappava le orecchie per non sentire il dolore. Pierino prese a frustarci tutti quanti che giacevamo supini con le vesti tirate sulla testa. Ci frustava con molta serietà. Io ricevetti cinque frustate.

– Cinque, quante sono le piaghe di nostro signore Gesù Cristo.

– Ti penti tu?

– Sì – diceva Pasquetta.

Pierino cominciò a frustare Pasquetta così forte che lei gli si lanciò contro e lo morsicò.

Poi Pierino diede la frusta a Zeffirino:

– Ti penti tu? – gridò Zeffirino alzando la frusta. – Sì – disse Baby.

– E una – gridò Zeffirino venendo giù con la frusta.

– Ti penti tu?

– Sì.

– E due!

Baby alla frustata gridò: – Santa Maria Vergine!

– Ti penti tu? – disse Zeffirino a Baby.

– Sì.

– E tre! E quattro!

– Ohi! Ohi! – Baby si rivoltò a guardarsi le cosce tutte rosse.

– Ti penti tu? – gridò Zeffirino alzando la frusta.

– Sì – disse Baby rimettendosi in posizione.

– Ohi! Ohi! Santa Vergine!

Pierino allora prese la frusta lui, e cominciò a brandirla a destra e a sinistra come se ci volesse ammazzare tutti.

22

Nello faceva aspettare Rosa al crocicchio della strada e non veniva. Quella sera piangeva perché era domenica ed era tutta vestita a festa col vestito attillato e i riccioli che le avevo fatto e la rosa sul petto appuntata da me. Tutto questo per Nello. Ma Nello quella sera era restato a giocare a carte con Pippone e gli altri all'osteria del paese e aveva detto « porco Mussolini ». Io non so proprio perché Nello ce l'abbia con il nostro Duce.

Ferruccio è andato a riferire che Nello ha detto « porco il Duce » al Partito. Anzi Rosa si affanna a dire che Nello ha detto « viva il Duce » ma io non ci credo perché l'ho sentito io con le mie orecchie parlare male di Mussolini e ci sono rimasta male. Se Mussolini sentisse chissà come ne sarebbe addolorato.

Ferruccio arrivò il giorno dopo con una macchina nera alla Villa e molti uomini scesero vestiti di nero in divisa fascista e presero Nello che era nell'aia e lo portarono nel bosco.

Io però non gli voglio più bene a Mussolini, perché bisogna perdonare al prossimo, invece lui ha mandato a prendere Nello e sono venuti e hanno portato Nello nel bosco. Dice Lea che gli si sono fatti intorno a forma di cerchio per bastonarlo. Lea dice che si sentivano le grida fino a casa sua, ma che il babbo aveva paura di uscire. Rosa invece è uscita correndo ed è andata nel bosco e gridava: – Fermatevi, fermatevi – ma loro l'hanno presa e con grande gusto la tenevano per le braccia tappandole la bocca a vedere loro che picchiavano Nello. Forse il Duce non sa di Ferruccio che ha dato le botte a Nello. Così gli ho scritto una lettera:

Caro Duce, io penso di dirti qui quello che è successo a Nello, amico mio, che ha avuto molte botte da Ferruccio, perché dice che Nello ha detto « porco Duce » mentre non è vero, perché Nello dice sempre « viva Mussolini ». L'ho sentito io con le mie orecchie e Ferruccio è geloso di Nello a causa della Rosa, e ti prego di fare qualche cosa poiché io ti amo moltissimo e sono una Piccola Italiana caposquadra della scuola Adelaide Cairoli.

PENNY E BABY

Lo zio disse di dargli la lettera che l'avrebbe fatta imbucare. Il Duce però è così indaffarato con la guerra che non ci ha potuto rispondere, anche perché il nemico sta avanzando.

23

Una mattina decisi di andare a vedere il sorgere del sole. Baby dormiva; allora uscii sola in punta di piedi e mi arrampicai su di un albero. Nel silenzio dell'alba potei udire distintamente il rumore del cannone che mi parve più vicino del solito.

Il sole sta sorgendo lentamente alla mia destra. Sento distintamente il rumore dei vari insetti e seguo le mosse di una fila di bruchi che salgono su per il tronco dell'albero su cui sono appollaiata.

Le mie ginocchia hanno acquistato un color rosso dovuto al sole che sorge. Non ho mai visto l'alba perché a noi piccoli ci svegliano sempre alle otto alla Villa. Io mi domando se il sole è giallo, o se è giallo solo per me. Forse lo zio che è ebreo lo vede blu o verde?

Avvoltolo le labbra come Pierino e mi metto a imitare gli uccelli. Spostando lievemente il peso dal ramo destro al ramo sinistro mi rimetto in equilibrio, senza il quale, penso, né gli uccelli in cielo né i pesci in mare potrebbero volare o nuotare. Reggendomi con la mano destra a un ramo ed al tronco con la mano sinistra, riesco, tenendomi anche con i piedi, a restare così disposta sul ramo per molto tempo.

Mi misi a contare le foglie dell'albero e quando le avevo contate quasi tutte era quasi mezzogiorno. Dal mio posto potevo vedere la Villa e sentire Baby che mi chiamava.

Udii un rumore di freni. Una strana macchina dipinta a chiazze si fermò davanti allo scalone. Un soldato tedesco ne uscì ed aprì la porta ad un ufficiale. Poi si mise sull'attenti facendo risuonare gli stivali.

L'ufficiale salì lo scalone e suonò il campanello. Alì abbaiò. Elsa venne ad aprire. Vidi sparire Elsa e lasciare l'ufficiale sulla soglia, la porta socchiusa. Poco dopo ritornò con Marie alla porta e vidi che parlavano: Marie sa il tedesco. L'ufficiale entrò nell'atrio e Marie chiuse il portone dietro di sé.

Per la curiosità scesi giù dall'albero e mi diressi verso la Villa.

— Penny che fai?

— Voglio vedere in salotto.

Ci aggrappammo alle grosse inferriate di ferro battuto che erano davanti a tutte le finestre del piano terreno della Villa. Issandomi su vidi l'ufficiale tedesco completamente solo nella sala degli specchi. Saltai giù stanca per dirlo a Baby. Ad un tratto si udirono delle note al pianoforte. Poi le note si fecero più forti, e la Villa riecheggiò.

— Ma è la sonata di Beethoven! Quella che suona sempre lo zio!

Mi riaggrappai alle inferriate e vidi l'ufficiale tedesco seduto al pianoforte a coda, suonare. Suonò a lungo, quasi un'ora e mezzo. Doveva aver dato ordine di venirlo a riprendere perché la macchina ritornò e si fermò davanti allo scalone.

Marie disse che l'ufficiale era venuto apposta alla Villa a chiedere il permesso di suonare il piano, poiché aveva udito le note del pianoforte di lontano. Lo zio mandò a dire attraverso il cameriere di sì, ma proibì a Marie e a noi di parlare con l'ospite.

Tornò il giorno dopo alla stessa ora. Fu fatto entrare nella sala degli specchi e lasciato solo. Le note non incominciarono subito. L'ufficiale attendeva qualcosa per incominciare il suo concerto. Forse Marie? Dopo quasi mezz'ora di silenzio incominciò. Dopo un'ora e mezzo la macchina venne a prenderlo. Prima di andare via l'ufficiale, alzati gli occhi, ci poté vedere insieme a Marie che lo spiavamo da dietro le persiane socchiuse.

L'ufficiale tornò il giorno dopo con cinque minuti di ritardo. Cinque minuti che mi sono sembrati un'eternità. Come se la Villa piombasse di nuovo nel silenzio. Tutti gli ospiti infatti da tempo non c'erano più a causa della guerra. Edith e suo marito erano tornati a Zurigo e la cugina dello zio Maya era andata in America da suo fratello, a Princeton, che era un grande scienziato. Io e Baby, non potendo più divertirci alle spalle del signor Pit e con i quadri di Edith, ci rifugiavamo nel nostro nuovo amore.

Non potendo più amare Leonardo ci siamo messe ad amare il tenente Friedrich.

Scopro di attenderlo come attendevo Leonardo. Che cosa strana l'amore. Non avrei mai pensato di poter essere innamorata del tenente Friedrich come di Leonardo. Ma quel che più mi meraviglia è che anche Marie e Annie e Baby sono innamorate di lui.

È inutile, le donne sono tutte frivole e leggere come dice bene il parroco, e commettono peccati di adulterio.

Questa volta l'ufficiale aveva portato con sé un mazzo di rose. Egli chiese al cameriere se era possibile vedere la « schöne Fraulein » che gli aveva aperto il portone.

Marie apparve timidissima alla soglia del salone. S'inchinò e sparì dopo aver ringraziato per i fiori. Lo zio non le aveva dato il permesso di restare nella sala. Lo zio si chiudeva sempre di più nel suo studio, tra i suoi libri, e il suo viso diventava sempre più corrucciato.

L'ufficiale tornò più volte. Noi lo spiavamo attraverso i cespugli ma non osavamo parlargli perché lo zio non voleva.

24

Camminavo verso il torrente quando ho visto molti soldati che facevano il bagno.

Avevano gli occhi celesti e i capelli biondi. Come sono diversi da noi. Noi italiani siamo tutti neri. È molto divertente avere tutti questi nuovi vicini alla Villa. C'era un gran via vai. Di macchine e di soldati.

Con mia grande gioia e di Baby i soldati vennero perfino alla Villa. Arrivò anche il generale.

Il generale mandò un messaggio allo zio attraverso il suo attendente Hainz dicendo che si scusava moltissimo di disturbare lo zio, di perdonare la sua intrusione poiché purtroppo « la guerre c'est la guerre », e che aveva bisogno di stanze.

Lo zio si rinchiuse nel suo studio con un viso più buio che mai, dopo aver dato il permesso al generale di occupare le stanze degli ospiti, mentre i soldati invadevano il granaio e il frantoio.

I soldati andavano su e giù per lo scalone e i loro stivali facevano un gran rumore. I corridoi rintronavano di grida. Erano i soldati che si mettevano sull'attenti.

Alle cinque in punto, come al solito, il tenente

Friedrich fece suonare le note del piano. Apparve sulla soglia della sala degli specchi, non potevo credere ai miei occhi... il generale in persona.

— Il generale si è seduto in poltrona e ascolta... — dissi lasciandomi scivolare giù dalle inferriate. Pierino si arrampicò su lui.

— Il generale sta ascoltando la musica... fuma una sigaretta...

— E ora che fa?

— Ora si alza in piedi e passeggia... va via.

I nostri nuovi ospiti, a diversità degli altri, sono fino ad ora completamente ignorati dallo zio. Mai il cameriere entra nella sala degli specchi a portare il caffè al generale o al tenente Friedrich, o che lo zio li inviti a pranzo. Sono invece loro che mandano messaggi allo zio, per lo più messaggi di ringraziamento per l'uso del pianoforte.

— Se non ci pensa lo zio a essere gentile con il signor generale, ci penseremo noi.

— Come?

— Lasciami pensare.

— Lo sai che lo zio non vuole e ci ha proibito di andare nelle stanze degli ufficiali e di toccare qualsiasi cannone o mitragliatrice senza il suo permesso.

— Sapete che vi dico? Che se lo zio è cattivo con gli ospiti, faremo noi gli onori di casa.

— Penny l'è la solita fanfarona.

— E la ci ha ragione Penny invece.

— Inviteremo a pranzo il generale.

I soldati erano intorno alla Villa e preparavano

le loro gavette perché era circa l'una. Noi invece eravamo in cima al vialone tra i lauri, ed avevamo appena finito di preparare il magnifico pranzo per il generale. Oltre alla minestrina fatta da Pierino c'era anche il dolce. I soldati erano intorno alla Villa. Ne arrivavano sempre di più, con cannoni e mitragliatrici. Noi stavamo in cima al vialone giocando alla cucina con le bambole. Pasquetta aveva acceso un fuoco e stava cuocendo una minestra con un po' d'acqua, un po' di terra, un po' d'aghi di pino e foglioline tritate. Quand'ecco che la macchina del generale arrivò in un nugolo di polvere.

– Il generale! – disse Pierino.

Il generale scese dalla macchina. Era alto, grosso, con le mostrine d'argento e i fregi sul cappello. Faceva caldo, doveva essere stanco. Si avviò per il vialone affidando alcune carte ad Hainz, l'attendente, che si mise sull'attenti. Faceva caldo. Il generale si tolse il cappello e si asciugò la fronte.

– Bisogna fare qualcosa.

Il generale dava ordine ai soldati; sembrava preoccupato e irritato. Anche i generali perdono la calma.

– Signor generale, – disse Baby tirandolo per la giacca. – Il pranzo è pronto. Venga, le abbiamo preparato da mangiare –. E accennò a noialtri.

Il generale si voltò. Noi annuivamo col capo. Baby con le mani sporche di terra cominciò a tirarlo per il braccio. Con l'aria stanca la seguì sorridendo.

– Abbiamo preparato il pranzo per lei – disse Pasquetta.

– Grazie – disse il generale, – siete molto gentili.

Portammo il generale in uno spiazzo del bosco dove c'erano delle grosse pietre su cui sederci. Sulle altre pietre c'erano Fifì la bambola, Tro-tro l'orso giallo, poi Pierino, Pasquetta e Zeffirino. Io e Lea servivamo il generale. Mettemmo a sedere il generale e cominciammo a servirlo. Baby gli mise la salvietta intorno al collo.

– Ecco un po' di minestra, signor generale – disse Lea con la faccia rossa e gli occhi lucidi per il troppo soffiare sul fuoco che rischiava di spegnersi ogni momento.

Il generale bevve dalla tazza sbocconcellata e disse:

– Buono.

– Ne vuoi ancora? – dissi io.

– No, grazie, sto bene – disse il generale.

– Ora c'è il dolce e queste sono un po' di castagne tritate con un po' di pinoli e vino.

Il generale bevve dal bicchiere e mangiò dalle foglie di lauro.

– Sta bene? – disse Baby facendogli vento con una foglia secca di palma.

– Sì, sto molto bene – disse il generale.

Ci rovinò tutto l'arrivo di Hainz che si mise sull'attenti e gridando qualche cosa in tedesco si portò via il generale, che ci ringraziò e se ne andò con le tasche piene di sassolini e pietre brillanti.

25

La Villa era circondata di munizioni e di mitragliatrici. Il generale, scusandosi di disturbare, mandò a dire al suo attendente, che aveva bisogno di
un'altra stanza. Hainz salutò militarmente e venne
a riferire allo zio.

Noi eravamo tutti a tavola. Il cameriere e la
cameriera giravano con i vassoi intorno alla tavola
perfettamente apparecchiata. Per quanto ci sia la guerra e il generale s'impossessi lentamente di tutta la
Villa, l'andamento della nostra vita è sempre lo stesso. Lo zio si adira se le vivande sono scotte, se i fiori
non sono sulla tavola, se i bicchieri non sono quelli
di cristallo, se i pavimenti non sono lucidi, se Rosa
non ha il grembiulino bianco stirato e la cresta in
testa, se Cosimo il cameriere perde i bottoni della
sua livrea. Il lampadario di cristallo enorme che è
sulla tavola ci illumina come sempre.

— Ti lavi sempre il collo tu? — domandai la mattina dopo all'aiutante del generale.

— Sì, tutte le mattine — disse.

— Io no, ce l'ho sporco? — domandai con quel po'
di tedesco che sapevo grazie alle lezioni di zia Katchen.

– No, è pulito.

– Come ti chiami?

– Hainz.

– Io Penny. Devo lavare i vestiti di Doll, la mia bambola. Mi serve la fontana, ci metti molto tu a lavarti il collo?

– No.

– È mezz'ora che te lo lavi.

Hainz si mise a ridere e si mise a lavare i vestiti di Doll.

Era notte. Sentii una voce sotto la finestra che chiamava Penny. Era un soldato. Mi affacciai e vidi che era Hainz. Portò un'ocarina alla bocca e si mise a suonare *Lili Marleen*. Io avevo promesso a Hainz un bel pezzo di dolce se mi aiutava a lavare il vestito di Doll. Mi misi le pantofole per non far rumore.

– Vieni – dissi a Hainz.

– Fai piano.

Avevo paura che lo zio se ne accorgesse. Ma Hainz era così gentile, e i suoi occhi celesti si erano illuminati di gioia. Tirai fuori dalla madia un pezzo di dolce e glielo diedi. Lui si era messo a sedere e mi guardava. Gli versai pure del vino. Hainz finì tutto il fiasco. Io lo rimisi a posto. Poi tolsi le molliche dalla tavola di marmo. Salii sulle sue ginocchia e mi misi a togliere dal suo taschino quello che trovavo. C'erano delle fotografie: la madre e il padre di Hainz.

– Vuoi della marmellata?

– Jawohl.

Hainz finì tutto il barattolo.

– Ora vai via – dissi. Hainz mi strinse a sé e mi baciò sulla fronte. Stringendomi, i bottoni della sua uniforme mi facevano male e così pure la sua barba, non perfettamente rasata, faceva arrossare le mie guance.

– A domani – dissi spingendolo fuori della porta.

– Ja – fece lui sorridendo. Mi sollevò di peso e mi strinse a sé. Poi mi depositò per terra.

Quando mi ficcai nel letto Baby mi domandò dove ero stata.

– Da Hainz a dargli il dolce.

Potevo udire fuori dell'aia le note di *Rosamunda*. Dalla finestra entrava con il rumore dei grilli il suono dell'ocarina di Hainz che suonò a lungo fino a che mi addormentai.

Io voglio bene ad Hainz come al tenente Friedrich e come a Leonardo e quando sarò grande voglio avere molti mariti.

26

Appena mi svegliai, pensai a come era divertente avere la Villa piena di nuove facce e nuovi ospiti. E pensai ad Hainz e al generale che avevano lavorato tutta la notte. Potevo udire il rumore degli stivali di Hainz andare su e giù e mettersi sull'attenti.

Io e Baby ci davamo un gran da fare per passare vicino alla stanza del generale. Un giorno per vederlo ci presentammo con le scope dicendo che dovevamo fare pulizia. Io mi misi a spolverare tutte le carte del generale sulla scrivania e Baby delle cassette a terra.

– Non toccare! – diceva il generale e fece: – Bum!

– Bum? – disse Baby.

– Bum, bum – disse il generale.

– Bum! – disse Hainz indicando le cassette.

– Bum – ripeté Baby e si mise a spolverare la giacca del generale sulla sedia.

– Io ho una figlia così – disse il generale indicando Baby.

– Le ho portate io – diceva Baby indicando le margheritine sul tavolo del signor generale.

Ma lo zio ci proibì di andare nell'ala destra della Villa e nell'ala sinistra dove c'erano i soldati.

Faceva caldo, le cicale facevano un tale fracasso che io mi divertivo a tapparmi le orecchie per avere la sensazione del silenzio.

Hainz entrò in camera da pranzo. Rosa serviva il breakfast. Il generale mandava a dire allo zio che avrebbe molto desiderato fare una partita a scacchi, ma che non aveva nessuno con cui giocare. Lo zio fece rispondere al generale che era ai « suoi ordini ». Allora Hainz salutò di nuovo sbattendo i tacchi e inchinandosi.

– Chissà perché devono fare tutto quel fracasso con gli stivali per dire due parole!

Rosa cominciò a ridere così forte che non riusciva più a versare il caffè allo zio che la rimproverò. A noi tutti ci prese il terrore perché lo zio non rideva affatto. Era serissimo.

– Andiamo via prima che lo zio ci sgridi anche a noi.

Lo zio corrugò la fronte perché nell'alzarmi feci cadere un piatto.

– Penny, scriverai per cento volte nel tuo quaderno delle punizioni la frase: « Non devo rompere i piatti ».

Per me questa punizione è orribile perché ci metto un intero giorno a scrivere cento frasi come questa.

Il generale era preceduto da Hainz che portava gli scacchi. Bussò alla porta dello studio dello zio. Noi due eravamo agitatissime e spiavamo quel che succedeva. Lo zio avrebbe giocato a scacchi con il generale? Ci mettemmo a guardare dal buco della serratura la scena. Hainz andò via, mettendosi due o tre volte sull'attenti. Il generale entrò e lo zio gli fece cenno di sedersi. Si misero uno di fronte all'altro e lo zio additò la scacchiera. Restarono così in silenzio per quasi mezz'ora, muovendo lentamente le pedine.

Dopo un'estenuante attesa per noi che stavamo dietro la porta, vedemmo arrivare Hainz che bussò, entrò e disse qualche cosa in tedesco. Il generale si alzò e seguì Hainz dopo aver fatto un mezzo inchino alla zio. Lasciarono la partita a metà. Uscendo il generale s'imbatté in Katchen che entrava e le baciò la mano.

– Posso finire la partita io? – dissi. – Vediamo cosa farei io al posto del generale.

– Vediamo – disse lo zio divertito.

– Ti mangerei il cavallo.

– Brava, ed io ti mangerei il re – disse lo zio.

27

Marie da tempo ha abbandonato la bicicletta per andare a cavallo. Sempre in pantaloni come un maschiaccio gira per i campi e ritorna alla Villa tutta accaldata affidando Italo al fattore che lo conduce nella stalla. A me e Baby è permesso di trotterellare per il vialone su Lola. Spesso ci mettono insieme sulla stessa sella.

Un giorno Marie tornò dicendo che i soldati avevano preso i buoi di Cencetti. Lo zio mandò a dire al generale di restituire i buoi al Cencetti e che non era giusto di portarglieli via.

Il generale diede ordine di restituire i buoi.

Lo zio mandò a dire che non era « giusto » che gli fosse presa la penna stilografica a cui teneva moltissimo. Lo zio mandò pure a dire al generale che non era « giusto » che i soldati aprissero gli armadi e prendessero la roba che non apparteneva loro. Il generale diede ordine di non toccare assolutamente nulla che non appartenesse all'esercito.

Siccome era domenica, c'è stata la messa come al solito alla cappella padronale. Io e Baby siamo sgattaiolate in sagrestia a salutare il parroco il quale ci ha domandato se abbiamo pregato per l'anima dello zio. Io ho risposto di sì. Allora mi ha detto che non basta perché non solo l'anima dello zio è in pericolo, ma anche il suo corpo. Infatti dice che lo zio è in pericolo perché i tedeschi hanno deciso di portare via in prigione tutti gli ebrei.

Così ha detto il prete. E siccome lo zio non crede in Gesù, il prete dice che i tedeschi vogliono portarlo in prigione.

Il prete ha detto che lo zio dovrebbe fuggire e nascondersi perché se no lo porteranno via i tedeschi, e che è follia pura il restare. Io però non posso credere davvero che Hainz voglia far del male allo zio e neppure il generale.

Ma il prete era così agitato che ha chiesto di parlare con lo zio due o tre volte. La cosa è strana perché lo zio e il prete non si salutano più da tempo, dopo il rifiuto dello zio di mandarci a messa.

Lo zio lo ha ricevuto e noi ci siamo messe a guardare dal buco della serratura.

Il prete è andato via tutto triste perché lo zio non è voluto fuggire. Ha parlato molto per convincere lo zio. Diceva: – Lei è in pericolo, deve fuggire, è una follia restare qui –. Ma lo zio scuoteva la testa e ripeteva sempre la stessa frase: – Io non ho fatto nulla di male, non ho mai fatto male a nessuno, perché mai dovrei fuggire? Non ho nulla da temere. Perché mai dovrei nascondermi? Vero, Katchen? – E guardava la zia che accennava di sì col capo e diceva: – Sì caro – e piangeva.

Allora il prete è venuto una terza volta alla Villa ed è andato via dicendo a Pippone che lo zio era pazzo, e a noi due di pregare per lui.

Anche Pippone è venuto alla Villa per offrire allo zio ospitalità nella sua casa nel bosco, ma lo zio ha insistito che lui non aveva nulla da nascondere e nulla da temere. In quel momento, con grande meraviglia di Pippone, sono entrati il generale e Hainz con la scacchiera per giocare con lo zio.

Lo zio ha ragione. Lo zio dice sempre la verità. Egli è la Verità e la Giustizia personificata e non può avere torto.

Io scruto il volto del generale tedesco quando gioca a scacchi con lo zio. Voglio guardare profondamente nei suoi occhi. Ma i suoi occhi sono così celesti e chiari che non riesco a vedere che bontà.

– Sei buono tu? – gli domanda Baby guardandolo negli occhi.

Lo zio ci ha mandate a giocare in giardino. Ma io ho paura. La notte quando delle macchine arrivano alla Villa io balzo dal letto con il cuore che fa « bum bum » e il terrore che siano venuti a prendere lo zio. Esco fuori in punta di piedi dalla mia stanza e guardo giù per lo scalone gli ufficiali che vanno e vengono e si salutano sbattendo gli stivali e poi urlano ordini.

Io ho paura. Non so perché. So bene che lo zio ha ragione e pure zia Katchen e che il generale è buono. Ma ho paura. E se poi la verità dello zio non è la verità? Quale è la verità? Vorrei che la verità apparisse in qualche modo in grandi lettere nel cielo.

Mentre lo zio, la zia, Annie, Baby, Marie, Rosa, Cosimo, Elsa dormono, i tedeschi lavorano. Forse tramano contro lo zio? Ho paura. Sento degli stivali.

Era Hainz.

– Hainz! – gli ho gettato le braccia al collo. – Hainz, ci vuoi bene tu?

– Ja, ja, jawohl.

– A tutti noi? A Annie e Marie e anche allo zio?

Hainz mi ha portato a letto e mi ha dato la buona notte.

– Anche il generale vuole bene allo zio?

– Ja, ja. Gute Nacht.

Hainz se ne andò chiudendo la porta piano piano. Ma io continuavo ad avere paura.

Un vento soffiò e le tende si gonfiarono e cominciarono a sventolare come fantasmi.

28

Alla Villa erano arrivati altri soldati, e c'erano dei cannoni e delle mitragliatrici nell'aia.

– Non sparate mai? – dissi a un soldato.

Infatti per la strada passavano cannoni che andavano al Nord.

– Perché non ci fate vedere? – disse Baby toccando una mitragliatrice.

È seccante avere i cannoni lì e non vederli sparare. Noi sentiamo solo il rombo dei cannoni nemici che è diventato un rumore così costante come le cicale.

Era l'ora di pranzo e Elsa ci chiamò. Marie arrivò a tavola con il vestito bello, con i tacchi alti e con il rossetto. Questa fu una novità per tutti.

Da quando ci sono i soldati, Marie si ostina a mettersi il vestito della domenica e i tacchi alti e a darsi un sacco di arie. È pettinata all'insù e ogni tanto si mette il rossetto.

– Ma che fai, ancheggi ora!

Si era messa ad ancheggiare come Rosa.

– Sta zitta stupida, ho sempre camminato così – mi rispose.

– Ma va là, va là! – disse Baby e si mise ad ancheggiare.

– Ma siete proprio intollerabili! – disse Marie piena d'ira tirandoci addosso tutto quel che trovava. Quella stupida di Marie non si rende conto che quando mi tira la spazzola in testa mi fa proprio male.

Annie si mise ad ancheggiare anche lei e poi, quando andammo a letto, togliendosi quasi tutti i vestiti si mise a fare la sulamita. Io e Baby dovevamo battere le mani e lei presa dal ritmo si mise a fare una danza vorticosa davanti allo specchio.

– Ma non trovate che sono bella anch'io? – disse Annie, e si rimise a volteggiare.

– Ma non trovate che sono bella anch'io? – ripeté risentita.

La mattina dopo siamo andate nel bosco a staccare tutte le teste alle cicale e a metterle in una scatolina di fiammiferi. In un'altra scatolina ci teniamo il corpo e in un'altra le ali. Poi siamo tornate a casa e io sono andata nel salone e ho visto Marie e il tenente Friedrich che si baciavano!

Se lo sapesse lo zio! Ma soprattutto se lo sapesse Leonardo! Mi sono nascosta dietro alla tenda di velluto sotto il quadro grande per vedere meglio. Marie era appoggiata contro il pianoforte e lui le si è avvicinato e poi... poi l'ha baciata.

Io sono fuggita via. Sono triste. Marie vorrei sposarla io. Le ho detto un giorno: – Marie non mi strillare, io ti voglio bene, se fossi un uomo ti sposerei! – E lei è rimasta a bocca aperta a guardarmi. Ora mi dispiace che sia arrivato un uomo e si sia presa la sua anima. E io? Avrà più posto per noi bambini, Marie con il suo tenente nel cuore?

– Mi sposeresti tu se fossi un uomo? – Marie si mise a ridere. Allora feci la stessa proposta a Baby che invece disse di sì con entusiasmo e mi appiccicò un bacio di marmellata. Come sono però queste ragazze grandi, al primo tenente che arriva, si dimenticano di noi.

29

Noi si guardava il generale e lo zio giocare a scacchi. Oggi il generale ha domandato allo zio se era ebreo. Lo zio ha detto sì.

Io ho paura perché non so più qual è la verità. E guardo lo zio. Ma lo zio sorride.

A cena lo zio sorrise a zia Katchen che aveva invece gli occhi rossi e le mise una mano sulla spalla.

– Vai a vedere cara se il pranzo è pronto.

Zia Katchen andò in cucina e poco dopo uscì Cosimo suonando il gong.

Dal giardino Annie e Baby si precipitarono a tavola e Marie lasciò il suo golf rosso sulla poltrona e venne anche lei.

Lo zio rimprovera Cosimo perché gli manca un bottone d'oro alla giacca e perché i guanti bianchi non sono candidi. Rimprovera Elsa perché il pranzo è in ritardo e il riso scotto, e rimprovera Rosa perché il pavimento non è lucidissimo.

Ma siccome lo zio sorride, tutte le paure mi volano via.

Anche la sera lo zio sorrideva a cena mentre gli inglesi bombardavano la Villa. Noi tutti avevamo paura, anche Cosimo; infatti gli tremava il vassoio tra le mani e diceva che quegli aeroplani « ce l'avevano con noi ». Ma lo zio diceva che no, che Cosimo diceva sciocchezze e che erano diretti a Firenze. Intanto la Villa tremava tutta, i vetri del lampadario tintinnavano.

Marie e Annie e Baby avevano la faccia bianca di paura, e la zia Katchen guardava in modo supplichevole lo zio pregandolo di lasciarci andare giù in cantina o nel frantoio. Ma lo zio le fece notare che giù era pieno di soldati e di contadini.

Lo zio sorrideva come se nulla fosse e faceva lo spiritoso, cosa che fa solo a Natale o quando è la nostra festa.

Hainz entrò urlando e andò a chiudere le finestre dicendo che usciva la luce e che gli inglesi bersagliavano la Villa. I tedeschi correvano su e giù per le scale aumentando la confusione con le loro grida.

Ho trattenuto il respiro quando un aeroplano si è abbassato proprio su di noi.

Si è sentita una mitragliatrice e poco dopo un gran rumore, come la fine del mondo.

– Servi il dolce – disse lo zio a Cosimo, e Cosimo ci ha servito a tutti il dolce e gli aeroplani se ne sono andati.

30

Baby venne nel mio letto. La sentii venire, prima a piedi nudi sulle mattonelle, poi sentii il suo peso su di me e la sua voce al mio orecchio:

– Non abbiamo detto le preghiere per lo zio!

– Io sto facendo un fioretto speciale, per lo zio.

– Che fai?

– Sto con le braccia aperte in croce, come Gesù, per soffrire.

– E quanto ci stai in questa posizione?

– Devo contare fino a mille.

– Mi ci metto anch'io.

– Ma se non sai contare.

– Sì, che so contare.

– Sì, ma per terra, come san Barnaba.

Io sognai di Gesù. Gesù era flagellato dai soldati. Ma Gesù quando mi vide sorrise come nel libro mio quando sorride ai fanciulli.

« Sai » gli dissi, « ora vado da Pilato e gli dico di non farti crocifiggere ». Gesù sorrise e disse che era troppo tardi. Allora io andai da Pilato e gli dissi:

« Non vedi che stanno per uccidere Gesù, nostro

signore? ». Ma lui continuava a lavarsi le mani. Ora gli dico a Pilato che lui è un brutto rospo.

« No » disse Gesù, « questo non glielo devi dire ».

Ma io andai da Pilato, che era vestito di verde e glielo dissi e gli feci anche le boccacce, ma lui continuava a lavarsi le mani. Io mi misi a gridare ma i soldati vennero a prendere Gesù.

« No! No! non si può ammazzare Gesù, nostro signore! ».

E loro lo portavano via e io mi attaccai alle loro vesti.

Dio Padre guardava dall'alto senza far niente per aiutare Gesù.

« Stanno per assassinare Gesù, il figliolo di Dio! ».

Gli angioli andavano su e giù cantando Osanna con il giglio in mano. Gesù era solo nell'orto degli ulivi.

« Ma perché nessuno fa niente? ».

Gli angioli vennero giù sotto forma di tre signori. Forse loro faranno qualcosa. Il Diavolo avanzava in punta di piedi. I soldati andavano su e giù con un gran rumore di stivali. Gesù Cristo era solo nell'orto degli ulivi e piangeva.

« Ma non vedete che Cristo piange? » e mi affrettai a raggiungerlo.

« Dov'è la strada per l'orto degli ulivi? ».

Andai da Gesù e gli dissi:

« Voglio morire per te ».

« Grazie » disse Gesù, « ma ora lasciami solo, che voglio parlare con Satana ».

Io andai a chiamare Satana e gli dissi:

« Gesù vuole parlarti ».

E lui si scacciava le mosche con la coda. Il cielo era tutto nero e non c'era neppure una stella e tutto era calmo come se nulla fosse e la gente stava ferma in mezzo alla strada.

« Non vedete che il figliolo di Dio sta per morire? ».

E corsi in cerca di aiuto.

Incontrai Baby:

« Stanno per ammazzare Gesù. Dov'è l'orto degli ulivi? Dove sono gli Apostoli? ».

Disse Baby: « Non lo so ».

« Scusi signore » dissi a un uomo che passava ed era il bidello della scuola, « stanno per crocifiggere Gesù ».

« Sì » disse lui, « vado anche io a vedere, ci vanno tutti! ».

« Ma non è possibile! Non deve morire! ».

Allora io andai da Gesù e gli dissi:

« Vieni via con me e Baby che c'è un nascondiglio nel bosco ». Ma Gesù disse di andargli a prendere il vestito quello bello della domenica. Allora io andai alla Villa e guardai nell'armadio tra tutti i vestiti dello zio e finalmente trovai il vestito bianco dello zio e il cappello a larghe falde, ma vidi venire Gesù tra i soldati e c'era anche Pilato col vestito verde.

« Mi lasci passare » dissi, « devo dare il vestito a Gesù ».

« No » disse lui, « tu dici sempre bugie ».

Allora Pasquetta si mise a cantare *Salve Regina* e tutti si misero a cantare e anche Pilato, e io guardai in alto sulla croce e vidi Gesù che aveva la faccia dello zio.

31

Ma non potevo dormire. Ho svegliato Baby e Annie, ma continuavano a dormire. Sono andata da Marie e l'ho svegliata. Le ho detto che avevo fatto un brutto sogno e che avevo sognato lo zio, che avevo paura. Ma lei ha incominciato a consolarmi con quel modo di fare che hanno le ragazze quando sono grandi e vogliono fare le mamme.

– Bisogna fare qualcosa – dicevo io a Marie, ma Marie diceva che era tutto un brutto sogno, che ora sarebbe passato tutto e ha acceso la sua lampada e mi ha spiegato che avevo digerito male e poi mi ha rimandata a letto.

Ma io ho paura. Possibile che sia la sola ad avere paura? Tutti dormono. Non sentono forse il pericolo aleggiare come un grande mostro sopra la Villa?

Io lo sentivo questo pericolo, ma non aveva faccia. Lo sentivo questo « nemico », ma non aveva voce. Era appiattato in qualche parte dentro la Villa e sul letto. Sentivo il suo respiro, ma non lo vedevo. Mi sono alzata in punta di piedi e ho guardato fuori, attraverso le tende trasparenti.

Faceva caldo. C'era una luna così tonda che mi ha spaventata. Lei lo vedeva il « mostro » da lassù, che sovrastava il tetto della casa. Non ho avuto il coraggio di affacciarmi fuori della finestra per non vedere un pezzo della coda del mostro.

Io ho paura. Le mie mani hanno paura e il mio cuore e i miei capelli tutti hanno paura.

Perché nessuno mi risponde? Perché nessuno mi dà retta?

In punta di piedi, con il cuore che mi riempiva la bocca sono entrata in camera dello zio.

– Che c'è? – ha detto lo zio.

E la zia Katchen:

– Ti senti male Penny?

– Ho paura!

E sono scoppiata in singhiozzi ripetendo che avevo paura.

– Di che hai paura? – mi ha chiesto lo zio.

Non sapevo ad un tratto che dire. Ho ripetuto: – Ho paura – e ho continuato a balbettare.

Siccome la zia Katchen ha pensato che avevo il mal di stomaco, mi ha fatto sedere in poltrona ed è scesa giù a farmi una camomilla.

Lo zio si è messo la vestaglia blu e mi ha domandato se avevo male al pancino.

Allora io ho detto che avevo paura perché lui non credeva in Dio né in Gesù Bambino e che la sua vita e la sua anima erano in pericolo. Ma lo zio sembrava non capire, e siccome io continuavo a disperarmi mi ha preso sulle ginocchia e gli ho detto che i tedeschi lo avrebbero portato via e messo in un campo insieme a tutti quelli che non erano cristiani e che

121

me lo aveva detto il prete.

Mi ha cominciato a parlare con gravità dicendo che credeva in qualcosa come la dignità umana, ma io non capivo bene e ripetevo:

– Perché non credi in Gesù?

Allora lo zio vedendo che piangevo così forte, si è alzato e ha detto che sì, da ora in poi avrebbe creduto in Gesù Bambino.

– E anche nella Resurrezione dei corpi? – chiesi.

– Sì, anche nella Resurrezione dei corpi.

– E nella Madonnina bella?

– Sì.

– Ma ci credi proprio? – insistetti.

In quel momento è entrata Baby che mi cercava e non mi aveva trovata nel letto.

Io dicevo:

– Crederai nello Spirito Santo?

– Nello Spirito Santo – ripeté lo zio.

– E nella santa Chiesa cattolica?

– E nella santa Chiesa cattolica.

– E nella comunione dei Santi?

– Sì, sì, anche nella comunione dei Santi, – disse lo zio.

– E nella vita eterna? – aggiunse Baby.

– Sì, Baby, crederò nella vita eterna. Ed è appunto per questo che non dobbiamo avere paura di niente, vero? Ma domani parleremo meglio, e mi parlerai di Gesù. Ora andate.

Baby si era arrampicata sullo zio come su di un albero.

32

Oggi la Villa è rimasta improvvisamente vuota. Il generale con tutti i soldati, Hainz, il tenente Friedrich e i cannoni sono partiti verso il Nord.

Il generale prima di partire ha baciato la mano a Katchen e le ha chiesto se poteva esserle utile nel portare delle lettere al Nord, visto che la posta non funzionava più.

Io ho riempito le tasche di Hainz di pane bianco che gli piaceva tanto.

Quando anche la macchina mimetizzata del generale è partita i miei occhi erano umidi e mi è parso che un gran vuoto era rimasto nella Villa.

Oggi lo zio ha giocato con noi piccoli perché è la festa di Baby. Oggi tutto ci è permesso perché è la festa di Baby. Tra pochi mesi sarà la mia festa e anche io esprimerò un desiderio che lo zio dovrà esaudire.

Il desiderio di Baby è che lo zio giochi con noi. Ecco oggi alla Villa non ci sono che piccini, e i grandi non ci sono più. Giochiamo a mosca cieca in giardino. Lo zio si lascia bendare gli occhi. Eccolo con il grande cappello bianco che cerca. Noi gli tiriamo la giacca e ridiamo. Come è buffo lo zio. Non ci vede e non ci acchiappa. Ora ha preso Baby.

Cambiamo gioco. Giochiamo a campana. Lo zio ha sbagliato, ha perso la partita. Noi ridiamo. Anche Annie e Marie ridono. Oggi tutti devono giocare con noi.

Lo zio gioca a « un due tre Regina ». Si fa la conta. È Baby che fa la Regina. Deve contare un due tre lentamente e voltarsi di scatto. Mentre lei non ci vede, dobbiamo avvicinarci a lei fino a toccarla. Chi la tocca prima diventa Regina o Re, ma se viene visto mentre si muove, deve tornare al punto di partenza.

– Un due tre Regina!

Baby si volta di scatto. Siamo tutti fermi; abbiamo avanzato di un passo. Anche lo zio.

– Un due tre Regina!

Baby si volta. Lo zio con un passo lunghissimo l'ha quasi raggiunta, ma ahimè, lo zio barcolla, si muove ancora.

– Ti ho visto avanzare! – urla Baby, – devi tornare indietro!

– Non è vero, non mi muovevo! – dice lo zio risentito.

– Sì, sì, sì, ti ho visto.

Lo zio torna indietro al punto di partenza. Questo provoca in Baby uno scoppio di ilarità.

Poi abbiamo giocato a nascondarella.

Come era buffo lo zio che avanzava cauto per cercarci e non ci trovava mai, mentre noi lo vedevamo subito nascosto dietro i cespugli a causa del suo cappellone bianco.

– Trovato! – gli urlavo nelle orecchie.

Ah, che bella giornata! Vorrei che tutte le giornate fossero così.

Per quanto si dica che la vera mamma e il vero papà sono insostituibili, io non posso proprio capire come potrei mai voler bene alla mia mamma più che a Katchen, o voler bene a papà più che allo zio.

Katchen ha fatto a Baby una bambola con i suoi vestiti e ha detto che era la mamma di pezza.

Camminavamo verso il torrente perché Baby aveva lasciato lì la sua mamma di pezza. Baby piangeva perché l'aveva persa. Io speravo di ritrovarla respirando profondamente l'aria. Infatti Katchen aveva un profumo particolare che era rimasto alla bambola con i suoi vestiti. Offrii la mia bambola a Baby.

– No, non la voglio perché è mamma tua.

– Ma se è mamma mia è anche mamma tua!

– Non è vero – disse Baby e si mise a piangere. Allora Katchen non trovando nessun vestito vecchio dovette fargliela nuova con la camicia da notte celeste.

Baby se ne andava nel prato con la nuova mamma di pezza sotto il braccio e la baciava e le parlava e le diceva tante cose. Camminava per i campi con lei tra le braccia e ogni tanto si chinava a prendere qualche margheritina e gliela offriva. La lunga coda celeste della mamma di pezza svolazzava al vento della sera.

Guardai a lungo Baby passeggiare così per il prato.

Rimango malissimo nel vedere che mi ha dimenticata e che tutto il suo amore e i suoi baci sono per un'altra.

Me ne andai tristissima, con il muso, sul nespolo.

– La Madonna si è mangiato tutto! – gridò Pasquetta.

Correva tutta trafelata verso di noi. Correva a piedi nudi senza farsi male, dietro di lei venivano Pierino e Zeffirino.

– Sì, sì, la Madonna si è mangiato tutto! – dicevano.

Forse la Madonna aveva fame?

– Venite a vedere!

La Madonna era scesa dal cielo ed aveva accettato i nostri doni e li aveva portati su in alto con sé. Ci fermammo a guardare la statuina della Madonna che sapeva di zucchero. Baby domandò perché la Madonna aveva il piede sul serpente.

– Uccide il Diavolo – disse Lea.

Come era bella la Madonna così vestita di celeste!

– Forse la vostra mamma sta su con lei.

– Sì? – fece Baby.

– Insieme allo Spirito Santo.

Guardai il santino di Gesù che teneva un grosso cuore con le spine in mano. In quel cuore ci deve essere il dolore del mondo.

Guardai la faccia di Gesù. Come è bello, con i

capelli e la barba bionda. Io Dio non lo capisco tanto bene, mentre Gesù sì, lui lo amo e mi dispiace che è già venuto sulla terra.

– Anche Dio padre sta con la mia mamma?

Nel santino c'era un agnellino bianco.

– L'agnellino è Gesù – disse Pierino.

Poi c'era un altro santino con una bambina che aveva fatto la prima comunione, e dietro c'era l'angelo Gabriele che assomigliava un po' a Gesù ma senza barba.

– Ognuno di noi ha l'angelo Gabriele alle spalle.

Subito sentii che l'angelo Gabriele era dietro di me e che era uguale a me, ma con le ali.

– E questa colomba sulla testa che cosa è? – domandò Baby.

– È lo Spirito Santo.

Lo Spirito Santo è la terza persona della Trinità, Baby la quarta, io la quinta, Pierino la sesta, Lea la settima, e Zeffirino l'ottava persona della Trinità.

Dissi a Annie che la Madonna aveva mangiato tutto. Non ci credeva. Allora decisi che doveva venire anche lei a vedere se non ci credeva, ma che però non doveva dire niente a nessuno. Domandai a Pasquetta e agli altri se Annie poteva venire a una delle nostre messe. Dissero di sì, purché si confessasse prima.

Così Annie venne e si confessò. Non finiva mai di confessarsi. Quanti peccati aveva!

– Hai dimenticato quando ci hai messo il sale nella minestra – disse Baby.

– Sì.

– E quando ci hai messo una lucertola nel letto.

– Sì, e anche quando ho mangiato la vostra cioccolata – disse Annie contrita.

– Ah, sei stata tu!

Pierino decretò dieci frustate sul sedere.

– Basta, basta! – urlò Annie. – Sono pentita!

– Vuoi pregare anche tu per l'anima dello zio? – E le spiegai che lo zio era in pericolo.

– Sì – disse Annie.

– E per il nostro Duce?

– Sì, anche per il Duce.

– Inginocchiati.

Annie si inginocchiò e anche noi e si pregò. Avevamo i sassolini sotto i ginocchi per soffrire di più.

34

Mi parve di udire un fruscio. Ad un tratto si fece largo tra le foglie una lepre tutta bianca. Ma poi scappò subito come ci vide.

– È la Madonna – disse Lea.

Guardavamo ammutoliti.

Ci nascondevamo tra i cespugli per vedere lo Spirito Santo scendere sulla Croce. Egli apparve sotto forma di passero e dopo aver beccato qua e là i pezzettini di biscotti, ritornò in cielo sulla testa di Giovanni Battista e si posò sulle mani di Dio. Di qui volò sul capo di Gesù il quale siede alla destra di Dio padre onnipotente.

Un giorno il Diavolo venne sotto forma di gallo. Mandò via il passero e beccò tutto quel che c'era. Si capiva che era il Diavolo dall'espressione cattiva.

– Dobbiamo uccidere il Diavolo.

Il gallo era sempre lì e mi parve di scorgere nei suoi occhi il male. Io ho paura che il Diavolo s'impossessi della mia anima e del mio corpo.

Con un urlo Pierino era balzato sul Diavolo, ma il Diavolo gli era sfuggito dalle mani. Pasquetta saltò addosso al Diavolo che non voleva morire. Tutti noi con bastoni e sassi ci mettemmo a colpirlo. Lea picchiò tante volte sul collo del Diavolo finché glielo staccò. Lo lasciammo ai piedi della Croce e cominciammo a pregare.

Poi Pierino si voltò verso di noi e disse che Satana non era ancora morto. Ma che era salito in cielo e che era rimasto con le mani aggrappate al cielo e che stava per precipitare giù portando con sé un pezzo di cielo.

– Davvero? – disse Annie.

Dovevamo alzare le mani in alto per sostenere il cielo. Lea intonò un canto, noi stavamo con le braccia in alto e i volti accesi per lo sforzo di sostenere il cielo. Il cielo sta per cadere, il cielo cade; noi stiamo con le braccia in alto a sostenere il cielo. Satana sta per precipitare giù all'inferno e poi si chiamerà Lucifero. Ecco noi stiamo con le braccia in alto e il cielo sta per crollare. Siamo rossi per lo sforzo. Chi ci aiuterà?

Satana sta per cadere, ecco precipita, l'angelo Gabriele con la spada infuocata guarda dall'alto e gli angioli cantano Osanna Osanna.

35

Tosca, la figlia del contadino che veniva a lavare alla Villa, si era ammalata.

— Tosca sta male, ci ha gli spiriti in corpo.

— Ma che dici?

— Sì, sì, la 'un mangia più, e la vole solo carbone e cenere per mangiare!

Pierino disse che la Tosca aveva gli spiriti in corpo e che le avevano fatto la « fattura ».

— Gliel'ha fatta una vecchina, e ogni volta che vuol mangiare non può perché c'è la Vecchina che dice di no, e le fa cenno col capo.

— E dov'è la Vecchina?

— La vede solo la Tosca e si mette a urlare.

— Se la Vecchina continua a dire di no, la Tosca la morirà.

Andammo a trovare Tosca.

— Sta male — dicevano e non ci facevano entrare. La sera al crepuscolo venivano le donne con i veli neri in testa a dire il rosario.

Una mattina aspettavamo che Evelina e Pietrone lasciassero la casa per andare su a vedere la Tosca.

Accucciata così dietro i cespugli io mi sentivo vicinissima alla terra e alle formiche.

– Guarda! le formiche! Quella porta un pezzo di grano!

– Non è grano – disse Lea schiacciando le formiche ad una ad una.

– Gli fai male – disse Baby.

– Le formiche non soffrono – disse Lea continuando a schiacciarle ad una ad una.

– Noi siamo così grandi che loro non ci vedono.

– Pensa se un gigante ci stesse sopra e ci schiacciasse col suo pollice.

– In cielo non ci sono i giganti, c'è Dio.

– Pensa se Dio ci schiacciasse così con il suo pollice.

– Schiaccerà te, ma a me no – disse Lea continuando a schiacciare le formiche.

– Dio non ha pollici.

– Dio no, ma i giganti che sono in cielo sì.

– In cielo c'è Dio, citrulla.

– Puzzona! – disse Baby a Lea tirandole fuori la lingua.

– Che puzzo io? – domandò Lea a me, avvicinandosi per farsi annusare.

– No, che non puzzi.

– Sì che puzzi – diceva Baby.

– No che non puzzo, senti qui Penny. Che, puzzo io?

– No, che non puzzi.

– Sì, sì, puzzi di stalla sempre – disse Baby.

– Quello è un odore Baby, non è un puzzo. Ci ha ragione Lea.

Ci annusavamo l'un l'altro. Il mio vestito è bianco con palline grandi rosso scuro. Il vestito di Baby è rosa con fiorellini celesti, è trasparente e si può vedere la sottoveste ricamata. Il fiocco che porto io in testa è bianco, mentre quello di Baby è rosa.

Io mi domandavo perché la Vecchina vuol far male a Tosca. Tosca, così bella, con le guance rosse, che canta sempre, ora giace a letto da quindici giorni, con la Vecchina vicino che le dice di no.

– Tosca! Tosca! – le dissi all'orecchio, entrati in casa.

– Tosca! Tosca! Tosca! – disse Baby alzandosi in punta di piedi vicino al lettone bianco.

– Tosca, ci senti?

– Tieni – disse Pierino mettendole una manciatina di more sulla bocca. Ma Tosca non sentiva e guardava fisso il soffitto con le travi di legno. Le more di Pierino si spappolarono sul cuscino lasciando macchie nere.

– Portatemi i carboni – disse Tosca. Sembrava che parlasse con qualcuno.

– Parla con la Vecchina.

– Tosca! – urlò Baby alzandosi in punta di piedi e appoggiandosi al lettone.

Il letto era grande, alto e di ferro colorato. Sul muro bianco c'era la Madonna che saliva in cielo, e sotto il suo mantello c'erano degli uomini piccoli che guardavano su nel cielo. Ad un certo punto Tosca cominciò a urlare come presa dalle convulsioni, mordendo le lenzuola come se lottasse con qualcuno.

Fuggivamo via terrorizzati giù per le scale strette, fuori per i campi.

Lo stregone ha detto alla Ginetta, la sorella di Tosca, che deve uccidere un gallo e prendergli il cuore, poi prendere un rospo e farci pisciare sopra. Il Beppe è un vecchio che vuole fare l'amore con Tosca e la Tosca ha detto di no perché fa l'amore con Brunetto. Perciò Beppe le ha fatto fare la « fattura ».

Bisogna poi piantare venti spilli nel cuore del gallo e Tosca allora guarirà. Ginetta, che era bella come la Tosca, doveva portare tutte queste cose allo stregone al chiaro di luna e ci domandò a noialtri, a Zeffirino e Pierino, di portarle il rospo. Ginetta piangeva, e tirato fuori un rosario fatto di perline bianche per i Pater Noster e di perline nere per l'Ora Patris, lo diede a Zeffirino in cambio del favore.

Anche io ho un rosario. Dico sempre due Salve Regina e due Pater Noster per tutti i parenti e amici che ho, per mammina e papà che sono in cielo e per tutte le persone che vedo per la strada e che non conosco. Ma mi addormento a metà. Prego sempre anche per il Duce e per la Patria e per i soldati italiani affinché non perdano neppure una battaglia e gli inglesi non arrivino qui.

Il mio rosario l'ho fatto con i noccioli di nespole. Io voglio diventare santa.

Zeffirino tornò con un rospo.

– Hai incontrato la Vecchina?

Zeffirino disse che nel bosco aveva incontrato la Vecchina che aveva due occhini piccini piccini.

– Io allora l'ho guardata con due occhi grandi così... e poi con due occhi piccoli così... ma lei la era sempre lì che la mi fissava fisso e la pareva che la dicesse di no con la testa...

La Ginetta ci aspettava al crocevia, era lì seduta sotto a un albero e pensava che non saremmo venuti.

– Ecco tutto quanto... – e tirò fuori il rospo.

– Ecco: il rospo.

Ginetta prese tutto e ci diede il rosario in cambio, e si avviò sola su per la collina. Andava dallo stregone.

Il giorno dopo mentre eravamo tutti a tavola Elsa entrò e domandò allo zio se poteva parlare con Pippone che era lì in cucina e che piangeva. Lo zio lo fece chiamare.

– Signor Padrone – disse Pippone entrando imbarazzato in sala da pranzo e togliendosi il cappello dalla testa. Scivolava sul pavimento lucido.

– Signor Padrone, se la ci può aiutare... – continuava a rigirare il cappello tra le mani inchinandosi a pulire col fazzoletto la polvere caduta dal suo vestito sul pavimento.

– E la ci more la Tosca, la muore, se lei sor Padrone e la potesse mandare a prendere il prete con la macchina subito subito prima che sia troppo tardi...

Lo zio mandò Cosimo a prendere il prete con la macchina. Cosimo tornò con il prete tutto vestito come per dir messa, con le trine bianche e l'incenso e l'acqua benedetta e il cappello in testa. C'era anche il chierichetto.

Cosimo poi ci disse che la Tosca urlava fortissimo quando vide il prete e gli lanciò contro tutto quello che aveva vicino.

– E la doveva proprio essere spiritata per lanciare la roba addosso al prete! – disse Pasquetta.

Dice Cosimo che dovettero tenerla in quattro perché si contorceva tutta e sbatteva la testa e le gambe contro il letto. Il prete le ha messo il crocefisso sul petto mentre gli altri la tenevano ferma e gli spiriti uscivano dalla sua bocca con urli e sibili e scavalcavano poi la finestra. Noi stavamo in macchina ai piedi della collina a sentire.

Il prete l'ha benedetta e quando sono usciti tutti i diavoli dalla sua bocca, Tosca ha smesso di strillare. Io sono un po' preoccupata che quei diavoli usciti dalla bocca della Tosca entrino nella bocca mia o di Baby o di Pasquetta, ma quel che è peggio è che andranno nella bocca dello zio.

Il prete incominciò a scendere giù per la collina incespicando nella sottana nera, verso la macchina.

– Io non mi sono mai confessata – disse Baby.

– Chissà quanti peccati che hai indosso – disse il chierichetto.

– Chissà quanti...

– Anch'io non mi sono mai confessata – dissi io.

– Chissà quanti peccati – disse il chierichetto. Diceva che la sua anima era bianca bianca perché si era confessato quella mattina e tutti i suoi peccati erano spariti. Come vorrei lavarmi l'anima così come ci si lava il collo e le orecchie la mattina e sentirmi tutta bianca con Gesù dentro il corpo!

Lo chauffeur aspettava silenzioso dentro la macchina. Non parla quasi mai con noi. Ci mette soggezione a me e a Baby. Il parroco benedisse la Ginetta che sparì in casa mentre lui scendeva giù verso di noi, con in mano il crocefisso e nell'altra il cappello che gli era volato via.

Il parroco non disse nulla. Entrò in macchina e si mise a leggere il breviario.

36

Il rombo del cannone era diventato così monoto-
no che perfino gli uccelli non volavano più via dagli
alberi, spaventati.

– Giochiamo ad « Adamo ed Eva »?

– Chi fa il Diavolo?

– Io no.

Ma Pierino disse che bisognava fare la conta, era
una filastrocca speciale che diceva pressappoco così:
« Un due tre per la regina e per il re bugibogibinza-
bò... » eccetera, e toccò a Pasquetta.

– No, io il Diavolo non lo fo.

– E tu invece lo fai.

– La conta non vale.

– Pierino fa sempre quello che vuole lui con la
conta e la cambia ogni volta e punta il suo dito su
chi gli pare a lui. Dio bono, il Diavolo non lo fo.

– Non è vero, è la conta che fa così –. E ripeté la
filastrocca e ripuntò il dito su Pasquetta.

– No, io il Diavolo non lo fo.

– Con quella faccia non sarai mai santa!

Pasquetta stava per saltare addosso a Lea, ma si
ricordò che aveva fatto la comunione e aveva Gesù
dentro di sé.

– Si gioca o no?

– La mela non c'è.

– Va Baby a prenderla.

Baby si nascose la testa nel vestitino a fiori tirato su a cupola e rimase con il vestito sulla testa pensando di non essere vista. Però ci guardava attraverso il vestito.

– Vieni Baby, si gioca ad Adamo ed Eva. Devi cantare, io faccio l'angelo Gabriele.

– No – diceva Baby col vestito tirato sulla testa.

– Lasciala stare quella scema!

– Baby ci fa perdere un monte di tempo. E la 'un sarà mai santa.

Baby si scoprì il viso e fece le boccacce.

– Sono stanca di fare il Diavolo – disse Pasquetta appollaiata sull'albero, – se voi 'un venite subito me ne vo –. E se ne andò.

Allora Zeffirino fece la vocina fina fina del Diavolo e mi offriva la mela, dicendo:

– Penny, vuoi tu la mela?

– Vai via brutto Diavolo, non mi tentare.

Detto questo, il Diavolo si rivolgeva a Pierino e diceva:

– Pierino, vuoi la mela?

– Vai via brutto Diavolo, non condurmi in tentazione.

E così via.

– Baby Baby mangia la mela – diceva Zeffirino con la vocina fina fina del Diavolo e per condurla in tentazione mangiava un pochino di mela.

– Via, via, brutto Diavolo!

– Ma è buona! – fece Zeffirino, masticando a bocca aperta e venendole vicino.

– Ma tu la mangi tutta!

Zeffirino si fermò stizzito.

– Sono il Diavolo sì o no? Io non gioco più. Perché per fare il Diavolo non sarò mai santo.

– Via! – urlò l'angiolo con la frusta. – Via dal Paradiso terrestre!

E ci facemmo frustare a lungo perché è soltanto attraverso la sofferenza che si possono riscattare i peccati degli altri.

37

Più forte si sente il rombo del cannone. Baby ed io andiamo tutti i giorni sull'albero a guardare lontano sulla strada maestra le colonne dei soldati andare verso il Nord. È come una lunga fila di formiche nere.

Ogni giorno nuovi scaglioni di tedeschi passano di qui e occupano i granai e le stanze della Villa, per ripartire poi il giorno dopo. Possiamo udire le grida dei maiali e dei vitelli che loro rubano e sgozzano sull'aia. A sentirli Annie è scoppiata in singhiozzi, e allora io l'ho consolata e l'ho abbracciata.

Per non farle sentire le grida degli animali l'abbiamo trascinata lontano al torrente.

– Annie non piangere.

– Ho paura – disse Annie tra i singhiozzi. – Mi sembrano grida umane.

– Ma no – disse Baby. Per un momento ho creduto che il sangue dei vitelli potesse allagare la Villa e sommergerla.

– Annie non piangere –. Si turava le orecchie con le dita. Come ho potuto odiare Annie? – Annie ti voglio bene, sai?

Poi Baby è cascata nel torrente che passa sotto la casa di Pietro e dove ci sono tanti olmi e canne di bambù.

Andai a dire a Marie che Baby era cascata in acqua e si era fatta male. Allora l'Elsa la rivestì urlando che eravamo cattive e che non faceva che ripulirci e che il signor Padrone ci voleva vedere sempre pulite e stirate e che noi ci sporcavamo apposta. Infatti un giorno Baby era andata in casa di Zeffirino e poi aveva voluto fare pipì.

Allora Zeffirino la portò alla toletta e ce la chiuse dentro. Baby ci restò un bel pezzetto perché la toletta consisteva in un buco tondo entro cui bisognava fare i bisogni che cascavano direttamente nella concimaia. Dal buco venivano su scarabei e animaletti d'ogni genere che affascinavano Baby. Sentimmo degli urli. Baby non era più nel gabinetto, ma piccola come era, era caduta nel buco di sotto.

— Baby che fai lì sotto? — e giù a ridere.

Ero rimasta sola con Baby perché gli altri dovevano aiutare Pippone a pulire la stalla.

— Cialtroni! — urlava Pippone.

Si poteva udire il rumore degli schiaffi appioppati a Pasquetta. Questo rumore era seguito immediatamente da strilli a cui altri schiaffi seguivano.

Noi c'eravamo abituate, allora sapevamo che non c'era nulla da fare e che per quel giorno avremmo dovuto giocare da sole.

Andai nel bosco come al solito a raccogliere gli asparagi selvatici con Baby.

Da lontano si udivano le grida dei soldati che stavano alla Villa.

Il rumore degli uccelli era unito a quello del cannone che diventava ogni giorno più forte. Andammo a vedere se la Madonna era venuta.

– Guarda! Una caramella! – disse Baby.

Io mi chinai e vidi che era proprio una caramella. Ma mentre mi chinavo ne scorsi un'altra poco distante.

– Un'altra!

– L'ho vista prima io!

– Va bene, te la do a te – dissi adocchiandone un'altra a quattro metri di distanza.

– È il miracolo delle caramelle! – disse Baby.

Ad un tratto sentimmo un fruscio. Guardai in alto e vidi su di un ramo un uomo con la barba.

– Chi sei? Come ti chiami?

– Giuseppe.

– San Giuseppe! – esclamò Baby.

Io guardavo la sua barba.

– Sei san Giuseppe? – disse Baby.

San Giuseppe annuì.

– Hai ancora fame? – domandò Baby guardando l'altare vuoto dove erano rimaste solo le ossa del pollo che avevamo portato.

San Giuseppe annuì.

– Ti porteremo da mangiare – disse Baby.

– Ti porto anche il dolce.

San Giuseppe scese dall'albero. Volle sapere dello zio, dove era, cosa faceva, volle sapere quanti tedeschi c'erano nella Villa, come si chiamava il comandante. Disse che era venuto a « salvare lo zio », che voleva parlargli.

Io e Baby avevamo i vestiti pieni di ciclamini e di funghi. San Giuseppe guardò Baby, poi la prese sulle ginocchia. Incominciò a carezzarle i riccioli e a baciarla. La stringeva a sé. A me dispiaceva che san Giuseppe non mi baciasse e così mi feci avanti.

– Anche io – dicevo.

Allora san Giuseppe mi mise sul ginocchio destro e si mise a baciare pure me.

– Tornate – disse, mentre noi ci allontanavamo per andare a prendere da mangiare.

– Lo sapevo che un giorno ci sarebbe apparso san Giuseppe.

– A Bernadette la Madonna di Lourdes non l'ha mica abbracciata e baciata, sai.

– È vero.

– Io vorrei però anche le sacre stimmate, come san Francesco.

Mi parve di sentire il gong che ci chiamava.

– È tardi, è ora di cena.

– Dobbiamo ringraziare la Vergine di averci mandato san Giuseppe.

Prima di andare a casa siamo andate a dire a Zeffirino che san Giuseppe aveva fame.

– San Giuseppe te lo do io! – urlò il babbo di

Zeffirino togliendosi la cinta, e rincorrendolo per riprendere la pagnotta che Zeffirino aveva preso. Io e Baby stavamo dietro ad un albero a sentire.

Lo zio invece era seduto su una poltrona e l'Elsa era tutta agitata perché nessuno mangiava.

— Siamo stati in pena — disse lo zio. — Domani non uscirete di casa —. Ci sedemmo a tavola e Rosa cominciò a servire. Quando lo zio non parla vuol dire che è molto arrabbiato.

Io aprii la bocca, ma lo zio mi disse di tacere.

— C'è san Giuseppe che ha fame! — diceva Baby all'Elsa che ci chiudeva a chiave nella stanza per ordine dello zio.

— Ah sì? E dove è?

— C'è san Giuseppe che ha fame, nel bosco sotto la quercia grande. È venuto per « salvare lo zio » — diceva Baby sottovoce attraverso il buco della serratura.

— Ma quante ne inventano queste due! Tra poco avremo tutta la Sacra Famiglia a cena!

— Non spergiurare! — urlò Baby con le lacrime agli occhi.

Annie venne in camera.

— Buona notte — disse Annie, e si mise sotto le coperte con la camicia ricamata.

— Smettete di chiacchierare.

Avevamo messo la camicia da notte sopra il vestito per poter uscire nel mezzo della notte quando Annie dormiva. Baby piangeva succhiando caramelle.

– Smettetela di far rumore!

– Rumore! – disse il pappagallo che ci era stato dato al posto della gazza ladra che avevamo fatto morire per il troppo bene.

– Non fate dormire neanche Pedro!

– Neanche Pedro!

Io e Baby cominciammo a pregare sottovoce.

– Cicchecicchecic così sia – fece Pedro.

– Sssss! Silenzio! – Annie si alzò, accese la luce

– Annie ti devo dire una cosa.

– Che c'è?

– Senti Annie, se ti dicessi che c'è san Giuseppe sotto la quercia grande che ha fame?

– Che ha fame! – ripeté Baby.

– Tu gli daresti da mangiare, Annie a san Giuseppe che ha fame?

– Ma che dici?

– San Giuseppe è nel bosco che aspetta lo zio.

– È una bugia!

– No, non è una bugia! È venuto per lo zio; è venuto per salvarlo.

– È vero! È vero! – gridavo e corsi dallo zio a dirglielo.

Lo zio stava ascoltando la radio e sembrava irritato della nostra irruzione in salotto.

Baby gli raccontò di san Giuseppe, che era nel bosco, che era venuto per salvarlo e che lo aspettava sotto la quercia grande. Allora lo zio disse che ci avrebbe pensato lui a san Giuseppe, che certamente era venuto a salvarlo e che gli avrebbe portato da mangiare purché noi non dicessimo niente a nessuno, che era una cosa tra lui e san Giuseppe.

— Se mi dici che c'è san Giuseppe nel bosco sarà bene che io vada da lui.

— E gli porterai anche da mangiare? — disse Baby.

— Certo che glielo porterò.

La mattina dopo lo zio ci disse che aveva visto san Giuseppe.

— Cosa ti ha detto? — chiese Baby.

— Di non dire a nessuno che lui è venuto.

— Ho pregato sempre per te. È per questo che è venuto.

Lo zio abbracciò Baby e le disse di non smettere di pregare.

Lo zio guardava fuori della finestra, il bosco dove c'era san Giuseppe.

In quel momento si sentì uno scoppio proprio vicino. Baby si affacciò sulla finestra.

— San Giuseppe avrà paura.

— I santi non hanno paura — disse lo zio.

38

Il rombo del cannone si è fatto vicinissimo e gli ultimi camion dei soldati lasciano la Villa sotto i tiri dell'artiglieria nemica. L'aria è piena di fischi. Le pallottole cadono a destra e sinistra come una pioggia. Che emozione! Non si può uscire in giardino perché lo zio non vuole. Anche Zeffirino e tutti gli altri non possono uscire e venire a giocare con noi.

Anche la strada maestra è deserta. Da tre giorni non si vede più un soldato tedesco in giro, né un camion su quella strada che fino a un po' di tempo fa formicolava di truppe in ritirata.

Ad un tratto anche la mitraglia e il rombo del cannone cessarono. Ci fu una grande calma. Dopo un poco i contadini cominciarono ad uscire dalle case e a gridare: – La guerra è finita! I tedeschi se ne sono andati! Arrivano i partigiani!

Si vedevano in fondo al vialone un gruppo di uomini con la barba e i fucili.

Lo zio uscì fuori e corse verso di loro.

– Dove va? – chiesi alla zia Katchen.

Ma la zia non rispose e guardò da dietro i vetri lo zio allontanarsi con i partigiani e scomparire nel bosco.

La zia ci abbracciò tutt'e tre fortissimo e scoppiò a piangere.

– Piangi? – domandò Baby.

– Sì, ma di gioia.

Allora noi ci siamo scatenate e abbiamo cominciato a cantare a squarciagola.

Ad un tratto si sentì il rumore di un camion.

– Gli inglesi! – gridò Katchen precipitandosi giù per lo scalone.

Una macchina si fermò davanti alla Villa. Subito dopo un camion arrivò da cui scesero una ventina di soldati.

– Hainz! – disse Baby. Ma poi si accorse che erano vestiti diversamente da Hainz. Avevano un cappello fregiato e parevano tutti ufficiali.

– Hauch Hauchauchauch! – dissero due soldati sollevandoci di peso.

– Lasciami – disse Baby divincolandosi.

– Hauchauchauch! – disse il soldato stringendomi forte mentre cercavo di sgusciargli dalle mani.

– Ahi, mi fai male! – dissi a quello che mi riacchiappò per il vestito, strappandolo.

– Hauchauchauch! – strillò.

– Guarda cosa mi hai fatto! – dissi io mostrandogli il vestito strappato.

– Lo hai rotto tu, ora glielo dici tu all'Elsa che hai rotto il vestito mio! – urlai arrabbiata.

Ma quello, rimasto un momento perplesso, mi riprese e diede un calcio ai dadi con cui giocavamo facendo male alle mani di Baby che si mise a urlare.

– Haurauhauhauh! – disse un altro soldato acchiappando Baby.

– Lasciate stare la mia sorellina subito, se no lo vado a dire al comandante.

Vidi venire Marie, Annie e Katchen spinte su per lo scalone dai soldati che tenevano il mitra puntato.

– Marie, Katchen!

Ci spingevano su per lo scalone della Villa.

– Maleducati – diceva Baby.

– Brutto maleducato, io lo dico al generale e a Hainz.

Ci chiusero dentro una stanza e lasciarono una sentinella dentro.

– Guarda cosa gli avete fatto al mio Tro-tro – disse Baby accarezzando l'orso giallo che aveva raccolto da terra con il muso pestato.

– Gli avete tolto un occhio! – e gli fece una boccaccia.

Katchen chiamò Baby a sé.

– Stai buona – le disse.

Poco dopo un ufficiale entrò e ci domandò dove era lo zio. Non avendo una risposta esatta uscì dalla stanza.

Poi l'ufficiale tornò e ce lo domandò in varie lingue.

Noi dicevamo che non lo sapevamo e Baby disse che era andato da san Giuseppe.

Marie domandò alla sentinella se Baby poteva andare al gabinetto. La sentinella non rispose.

– Mi scappa... – disse Baby.

151

La sentinella chiamò un altro soldato che con il mitra puntato su Baby la portò fuori. La sentinella riaprì la porta al soldato che riconduceva Baby.

Potevamo udire dei colpi e delle urla e delle risate. Udivo il rumore dei cristalli infranti, dei lampadari e degli specchi. Un colpo secco e il piano fu schiantato.

– Il piano – disse Marie.

Qualcuno andava sui pattini a rotelle per i corridoi, la casa tremava sotto il rumore dei colpi e degli stivali. Qualcuno prese a calci Alì, che cominciò a guaire.

– Fanno male ad Alì! – Baby corse verso la porta per uscire ma fu respinta.

– Fanno male ad Alì! – Annie si mise a piangere.

Marie disse: – Non piangere.

– Mamma – disse Annie, – fanno male ad Alì.

Baby cominciò a picchiare la sentinella con i suoi pugni tesi, picchiava sulle gambe e diceva:

– Lasciami stare!

Quante strillate mi sono prese dallo zio per aver rotto il vaso grande e il portaombrelli dell'ingresso! Penso a tutti i rimproveri e alle migliaia di pagine che dovrebbero riempire questi soldati per punizione se lo zio vedesse.

Posso capire distintamente tutti gli oggetti che vengono rotti dal rumore che fanno quando cadono in terra, e secondo da quale parte della Villa proviene il rumore. Stanno rompendo i bicchieri di cristallo e le coppe ad una alla volta. Si sentono scrosci di risa ad ogni tonfo.

Cosa dirà lo zio quando torna, al comandante per i bicchieri di cristallo e i quadri ed i suoi libri rotti?

Ci vennero a prendere e ci portarono giù nella sala degli specchi per essere interrogate. Marie disse che non era giusto trattarci così senza ragione.

– Ah! Ma faremo il processo! – disse il comandante.

Gli specchi erano tutti rotti. Alcuni soldati andavano sui pattini urlando, i nostri giocattoli erano dappertutto. L'orso giallo sfasciato e messo in cima alla scopa era diventato un bersaglio. Baby si ostinò a raccogliere una pallina di ping-pong che le era arrivata tra i piedi. Per terra era pieno di vetri. Un soldato, con una sciarpa a fiori di Marie, stava correndo su e giù per lo scalone alla ricerca della pallina. La vide nelle mani di Baby. Baby gliela tese spaventata. Il muro bianco dell'atrio era pieno di scarabocchi e si sentirono scrosci di risa. Un soldato scendeva giù per lo scalone con un cappello da donna a larghe falde sulla testa. Lo riconobbi. Era quello di Katchen, lo portava per le grandi occasioni.

Ci spinsero nella sala degli specchi ed i miei piedi inciamparono nei libri dello zio, i quadri erano tutti tagliati. Era quasi buio e dietro ad un tavolo c'era il comandante, a destra il piano scassato. Era buio ma i soldati portarono delle torce.

Il comandante sorrise, e fece un inchino a Katchen.

– Hyrhutyrhauh, jawohl – disse.

Poi tradusse in francese per noi piccoli, per farsi capire meglio.

Il comandante era buono e aveva sorriso. Avrebbe fatto un vero e proprio processo, che era tutta una formalità. Diceva di scusarlo tanto e che ci avrebbe interrogate una alla volta e che ci avrebbe lasciate libere subito.

Baby disse al comandante di Alì e siccome il comandante non capiva, Marie gli spiegò in tedesco che Baby voleva Alì. Il comandante sorrise e diede ordine di non toccare Alì, e Annie disse di non fare male a Pedro, e il comandante sorrise e diede ordine di non toccare Pedro. Poi ci rinchiusero nella stanza con la sentinella.

Ora iniziamo il processo, disse il comandante, e sorrise e disse di nuovo che era una formalità. Poi mandò a chiamare prima Katchen, poi un soldato entrò e chiamò Marie, dopo un po' ritornò e chiamò Annie.

– Anch'io – disse Baby.

– Anche noi – dissi.

– Loro due no, non sono ebree.

E la sentinella non ci fece uscire.

Si udì un colpo di mitra e un urlo, poi un altro colpo di mitra e un altro urlo ed un altro colpo ancora.

Io e Baby ci precipitammo giù per lo scalone gridando:

– Marie! Katie! Annie!

I soldati venivano su per lo scalone. La porta della sala degli specchi era aperta. Era rossa e illuminata da una torcia. Mi parve di scorgere i loro piedi per terra.

Il comandante si era parato davanti alla porta impedendoci di entrare.

Ci spinsero fuori a me e Baby. I contadini ci presero in braccio allontanandosi nel buio della Villa. Mi voltai e vidi le fiamme divampare e tutta la Villa prendere fuoco di colpo. I contadini, tutti ammassati sul colle, guardavano la Villa bruciare. Ci tenevano in braccio. Baby nelle braccia del fattore, io in quelle di Pippone. Dalla Villa venivano dei lamenti.

— Sono loro che bruciano!

— No, sono i tedeschi che se ne vanno — disse Pippone, e mi mise la sua mano enorme sugli occhi. Io tesi l'orecchio e sentii il rumore del camion che se ne andava a tutta velocità, e il rumore dei freni giù per la discesa.

— Il signor Padrone! — urlò Pippone.

Correva giù per i campi verso la Villa lo zio, i contadini gli si lanciarono contro per fermarlo. Anche io e Baby cominciammo a correre chiamando:

— Zio Wilhelm!

Dietro di lui un gruppo di uomini tutti armati venivano giù dal bosco.

Lo zio correva verso la Villa giù per il viale dietro il camion tedesco, urlando. Era tutto vestito di bianco e sembrava un fantasma.

Dietro di lui i partigiani correvano fino a che l'hanno raggiunto; allora lo zio si è accasciato al suolo.

Lo zio Wilhelm piangeva e io guardavo lontano i fari accesi del camion dei tedeschi che si allontanava.

Lo zio era ancora con noi.

– Zio Wilhelm, zio Wilhelm – gridava Baby abbracciandolo e baciandolo, e anche io, ma lui gridava che voleva una pistola. Supplicava che voleva una pistola per morire.

Ma gli uomini armati e con le barbe non gliela volevano dare e allora ho visto lo zio piangere come un bambino.

– Perché non volete dare la pistola allo zio! – urlai.

– Dammi la pistola – diceva Baby a un uomo con la barba, picchiandolo con i pugni.

– Cattive! Volete uccidere lo zio! – urlò uno chinandosi verso di noi.

– Io no, io non voglio uccidere lo zio.

Baby si mise a piangere e anche io e ci mettemmo ad abbracciare lo zio che stava per terra seduto e ci stringeva a sé continuando a chiedere una pistola e guardando le fiamme che divampavano e ci illuminavano tutti come giorno.

Siamo rimaste così io e Baby per ore e ore a guardare la Villa che bruciava, vicino allo zio Wilhelm.

– Lasciatemi solo, lasciatemi solo – disse ai contadini, che si sono allontanati piano piano. Gli uomini armati sono partiti su una macchina dicendo che volevano raggiungere i tedeschi per ammazzarli.

Hanno lasciato uno di loro a guardia dello zio.

– Bada a lui – gli ha gridato il capo.

Baby mise una mano sugli occhi dello zio affinché non guardasse. Ma lo zio tremava e continuava a guardare le fiamme.

– Non piangere – diceva Baby, e lo abbracciava. Anche io lo abbracciavo.

– No – diceva lo zio, – vedi? Non piango più.

Baby si addormentò con la testa sulle ginocchia dello zio e anche io con la testa appoggiata a lui che guardava la Villa che bruciava.

Io sognai di aggirarmi per i corridoi vuoti, per una infinità di porte spalancate che davano in altre stanze dove non c'era nessuno. Proprio nessuno, ed ho avuto paura.

In quel momento mi sono svegliata. Lo zio non c'era più.

Era quasi l'alba. La Villa fumava. Io e Baby entrammo nella Villa. Gli specchi infranti riflettevano la luce del cielo che entrava dalle travi del tetto bruciato.

Loro erano lì. E anche lo zio.

Baby si chinò a guardare lo zio, ma si sporcò il vestito di sangue.

– Dormi? – disse Baby allo zio.

Si chinò su Marie.

– Marie? – diceva. – Katchen?

Baby era china sullo zio. Gli parlava.

– Non risponde.

– Non rispondono... – e si mise a piangere e a gridare asciugandosi le lacrime con le mani sporche di sangue. Allora io scoppiai a piangere e cominciai a gridare.

In quel momento i contadini entrarono nella Villa e ci portarono via.

Cara Baby e cara Penny,
ricordatevi di me, di Katchen, di Annie e di Marie e degli
insegnamenti che io e Katchen vi abbiamo dato. Perdonate-
mi se sono stato un po' noioso e a volte burbero con voi.
Vi abbraccio forte,

il vostro zio WILHELM

P.S. Non mettete il lutto.

Quando Pippone ci portò questo foglietto che avevano trovato vicino allo zio, io e Baby scoppiammo
a piangere. Le contadine avevano lavato le loro sal-
me. Vittorio aveva fatto le casse con le porte della
Villa. Le donne pregavano e si lamentavano dicendo:

— Gesù, Gesù, portali in cielo con te...

— Ma il Padrone lui ha fatto suicidio, e fare suicidio gli è peccato, e perciò non può essere seppel-
lito nel cimitero con i nostri morti. La su moglie e
le sue figlie sì, loro le erano battezzate pure, ma lui
e 'un credeva neppure in Dio e non era cristiano, né
battezzato...

— Non andava mai a messa.

— Il signor Padrone e non si può seppellire, e non
c'è posto per lui nel cimitero che gli è suicida...

– E ci vuole il permesso del Vescovo...

– Sì eh, e chi ci va dal Vescovo con queste cannonate!

– La 'un sarà una bella cassa, povero signor Padrone, proprio lui che gli avrebbe potuto avere una di quelle casse eleganti, di zinco dentro e di noce fuori, ma io ho fatto del mio meglio vero signorine? – e si rivolgeva a noi, allora il pianto di Baby diventava ancora più forte e io l'abbracciavo.

In quel momento arrivò il prete, tutto trafelato. Baby si avvinghiò alla sua tonaca.

Le contadine si alzarono piangendo e lamentandosi. Una vecchia disse:

– Non si può, e 'un possiamo permettere che lui stia in mezzo ai nostri morti.

– Perché? – domandò il prete, continuando a stringere Baby e me a sé.

– Perché non è cristiano e gli è suicida...

Il prete restò pensieroso.

– Ci vole il permesso del Vescovo – dicevano.

Pierino e Zeffirino entrarono carichi di fiori. Camminavano sopra i vetri rotti.

Il prete depose a terra Baby e disse:

– I buoi sono attaccati?

– Sì, padre – disse Pippone.

– Andiamo.

– Dove?

– Al cimitero a seppellirli.

– Anche il Padrone?

– Sì, anche il Padrone.

Il prete fece mettere le casse sul carro, ma i contadini si rifiutarono di seppellire lo zio nel cimitero. Allora il prete si avviò solo guidando il carro di buoi, giù per la collina.

Il prete era già sparito dietro la curva e già non si vedeva più quando Pippone si mosse e tutti gli uomini scesero giù al cimitero e le donne pure con Baby in braccio.

Il prete pregava.

Baby gli si avvicinò:

– Andrà all'inferno lo zio?

– L'inferno, non esiste che per i cattivi – disse il prete.

I contadini ci volevano portare via, ma ci dovettero strappare con la forza dal tumulo.

– Noi restiamo qui – diceva Baby, urlando.

– Noi restiamo qui. Noi restiamo qui con loro – dissi aggrappandomi alla terra. E cominciai a gridare.

Io e Baby stavamo nel cimitero.

– Non piangere Baby.

– Io non piango più se tu non piangi più.

– Ecco, io non piango più –. E mi asciugavo gli occhi.

Baby si chinò sul tumulo e chiamò:

– Annie? Marie? – Stette con l'orecchio a terra. Poi scoppiò a piangere.

– Non sentono!

Baby piangendo alzò la testa e rimase con gli occhi sbarrati:

– Guarda Don Chisciotte.

Don Chisciotte della Mancia era davanti a noi sul la porta del cimitero.

Magro magro lungo lungo con un cappello piatto di latta. Le sue gambe lunghe e nude uscivano dai calzoncini corti.

Dov'è Sancio Pancia?

Don Chisciotte era solo. Avanzava come se andasse contro i mulini a vento rivoltandosi indietro con circospezione. Ci guardò un po' sorpreso. Poi sorrise con il sorriso dolce di Don Chisciotte.

– Hallo – disse, e avanzò con la lancia in mano. Aveva dei rami in testa. Si chinò su Baby con un rumore di ferraglia e sembrò spezzarsi in due.

– Hallo – disse, – any Germans around?

La sua faccia era piena di lentiggini.

– Hallo – disse Baby facendo un piccolo inchino e asciugandosi le lagrime.

Don Chisciotte avvicinò il suo volto pieno di lentiggini a Baby.

– Who are you? – disse.

– I am Baby and this is my sister – disse Baby facendo un altro inchino.

Don Chisciotte guardò me e Baby, disse qualcosa che io non capii e tirò fuori dal taschino delle caramelle. Poi con le sue gambe lunghe si allontanò tra gli arbusti.

Si voltò più volte a salutarci con la mano. – Bye bye!

Baby si mise a correre giù per il sentiero cadendo e rialzandosi.

Dedico questo libro a mio zio Robert Einstein, cugino di Albert, a mia zia Nina Mazzetti Einstein, alle mie cugine Annamaria (Cicci) e Luce Einstein.

Tutti loro dormono nel cimitero della Badiuzza sopra Firenze tra San Donato in collina e Rignano sull'Arno.

Sulla loro tomba c'è scritto « trucidate dai tedeschi il 3 agosto 1944 ».

Io e la mia sorella che stavamo alla Villa fin da piccole (perché la nostra mamma era morta) siamo state risparmiate dalle SS perché non ci chiamavamo Einstein ma Mazzetti.

Così abbiamo diviso le gioie della vita e ricevuto il loro affetto per anni ma al momento della morte siamo state separate da loro.

Questa vita mi è stata regalata solo perché ero « di un'altra razza ».

Tutti i sopravvissuti portano con loro il peso di questo « privilegio » ed il bisogno di testimoniare.

Questo libro vuole descrivere la gioia e l'allegria che quella famiglia mi ha dato nella mia infanzia, accogliendomi come « uguale », mentre sono stata

« *uguale* » *a loro nella gioia e* « *diversa* » *al momento
della morte.*

    Loro dormono lì sulla collina e io li ricordo.
    Se qualcuno passa di lì lasci un fiore!

Roma, maggio 1993

Nina Mazzetti Einstein e Robert Einstein. È l'unica foto rimasta miracolosamente intatta tra le macerie della Villa.

Indice

Questo volume è stato stampato
su carta Palatina
delle Cartiere di Fabriano
nel mese di dicembre 2013

Stampa: Officine Grafiche soc. coop., Palermo

Legatura: LE.I.MA. s.r.l., Palermo

La memoria